Workbook

Double R Publishing, LLC

Contenido

Lección 1
¿Cómo se sienten? . . .5-10

Lección 2
Un nuevo año escolar 11-16

Lección 3
Canto y cuento en español 17-22

Lección 4
Un paseo por la ciudad 23-28

Lección 5
Otros lugares de la ciudad 29-34

Lección 6
Ayudantes de la comunidad 35-40

Lección 7
Los oficios 41-46

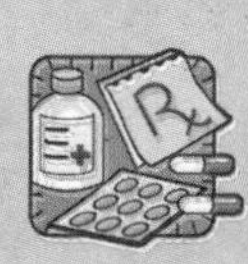
Lección 8
Una visita al médico 47-52

Lección 9
Otros miembros de la familia 53-60

Lección 10
El desayuno 61-66

Lección 11
El almuerzo 67-72

Lección 12
La cena 73-80

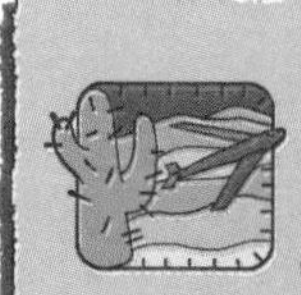
Lección 13
Un viaje a México con Pepe 81-90

Nombre ______________________ Fecha ______________

Observa, lee y escribe.

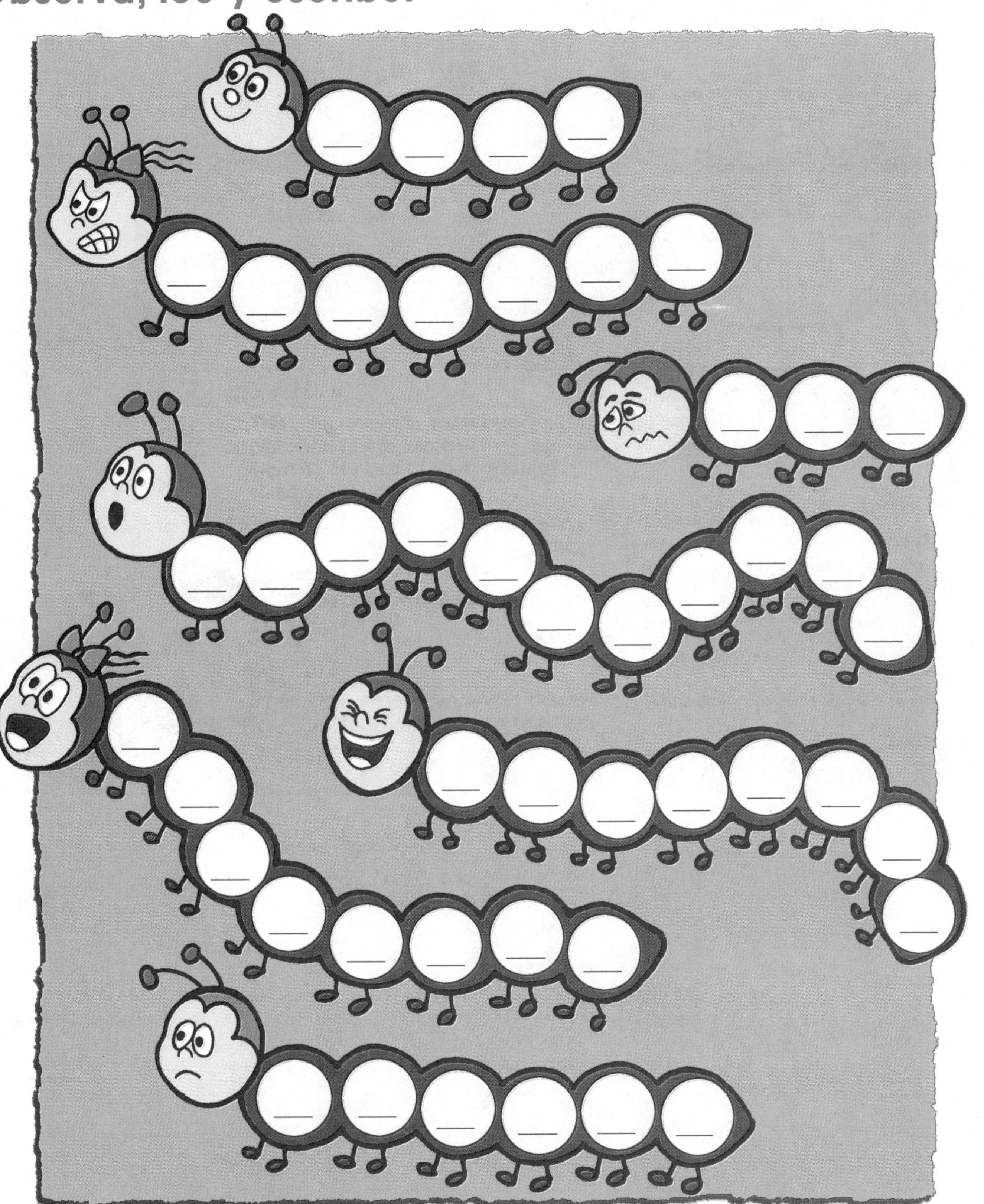

contento		asustada	sorprendido
bien	mal	enojada	triste

Nombre _______________ Fecha _______________

Observa, lee y escribe.

_______________. _______________.

_______________. _______________.

_______________. _______________.

_______________. _______________.

1) Yo estoy contento.
2) La abuela está asustada.
3) El abuelo está así, así.
4) Mi mamá está preocupada.
5) La niña está sorprendida.
6) Yo estoy mal.
7) El señor Pérez está enojado.
8) Ellla está triste.

Nombre ______________________________ Fecha ____________________

Une y completa.

1) Él ______________ en la playa.
está/estoy

2) Yo ______________ en el parque.
está/estoy

3) Omar ______________ en el zoológico.
está/estoy

4) Inés ______________ en el campo.
está/estoy

5) Yo ______________ con mi amigo.
está/estoy

6) Luisa ______________ en el carrusel.
está/estoy

7) Élla ______________ en la sala.
está/estoy

8) Él ______________ en la fiesta.
está/estoy

Nombre ______________________________ Fecha ____________________

Observa, lee y completa.

La ____________ está ____________ .
niña/niñas asustada/triste

____________ estoy ____________ .
Yo/Teté contento/contenta

____________ está ____________ .
Omar/Lila mal/bien

Mi ____________ está ____________ .
mamá/papá preocupada/preocupado

Nombre ______________________ Fecha ______________

Observa, lee y marca.

1. ¿Está la niña contenta?
   - ❒ La niña está contenta.
   - ❒ La niña no está contenta.

2. ¿Está Ulises asustado?
   - ❒ Ulises no está asustado.
   - ❒ Ulises está asustado.

3. ¿Está Lila enojada?
   - ❒ Lila está enojada.
   - ❒ Lila no está enojada.

4. ¿Está Juan sorprendido?
   - ❒ Juan está sorprendido.
   - ❒ Juan no está sorprendido.

5. ¿Está la mamá triste?
   - ❒ La mamá no está triste.
   - ❒ La mamá está triste.

6. ¿Está el papá mal?
   - ❒ El papá está mal.
   - ❒ El papá no está mal.

Nombre ______________________ Fecha ______________

Lee y completa.

Completa.

1. Ulises está ______________.
2. Maricela está en la ______________.
3. El papá está en la ______________.
4. Inés está ______________.
5. Roberto está ______________.
6. José está en el ______________.
7. Lupe está en el ______________.
8. La mamá está ______________.
9. Yo estoy ______________.
10. Lina está en la ______________.

Nombre ______________________________ Fecha ____________________

Observa y escribe.

Es un ____________________ .

Es un  ____________________ .

Es un ____________________ .

Es una ____________________ .

Es un ____________________ .

Es un ____________________ .

Es un ____________________ .

microscopio bolígrafo globo terráqueo
mapa borrador cesto bandera

Nombre ______________________________ Fecha ____________________

Lee, completa y escribe.

1) Yo ______________________ la televisión.
miro - mira

2) Ella ______________________ en la biblioteca.
estudio - estudia

3) La maestra ______________________ la lección.
enseño - enseña

4) José ______________________ el mapa.
miro - mira

5) Yo ______________________ mi lección.
estudio - estudia

6) Ana ______________________ los regalos.
miro - mira

7) Él ______________________ los colores a José.
enseña - enseño

8) Él ______________________ la bandera.
mira - miro

Nombre ______________________________ Fecha ____________________

Observa y escribe.

1) ¿Adónde vas a las ocho de la mañana?

   Voy a la ______________________________ .

2) ¿Adónde vas a las nueve de la mañana?

   Voy a la clase de ______________________.

3) ¿Adónde vas a las diez y media de la mañana?

   Voy a la clase de ______________________.

4) ¿Adónde vas a las once de la mañana?

   Voy a la ______________________________.

5) ¿Adónde vas a la una de la tarde?

   Voy a la clase de ______________________.

6) ¿Adónde vas a las dos y media?

   Voy a la ______________________________.

7) ¿Adónde vas a las tres de la tarde?

   Voy a mi ______________________________.

educación física　casa　cafetería　biblioteca
ciencias　estudios sociales　escuela

Nombre ______________________________ Fecha ____________________

Observa y escribe.

1) ¿Adónde va Omar el sábado a las nueve y media de la mañana?

   Omar va al ______________________ .

2) ¿Adónde va Ana a las dos de la tarde?

   Ana va a la ______________________.

3) ¿Adónde va Juan el domingo?

   Juan va a la ______________________.

4) ¿Adónde va la maestra?

   La maestra va a la ______________________.

5) ¿Adónde va él a las cinco de la tarde?

   Él va a la ______________________.

6) ¿Adónde va la familia de vacaciones?

   La familia va a la ______________________.

7) ¿Adónde va ella a las cuatro de la tarde?

   Ella va al ______________________.

escuela zoológico casa de la abuela playa
parque de diversiones tienda de ropa cafetería

Nombre ______________________ Fecha ______________

Lee y rellena.

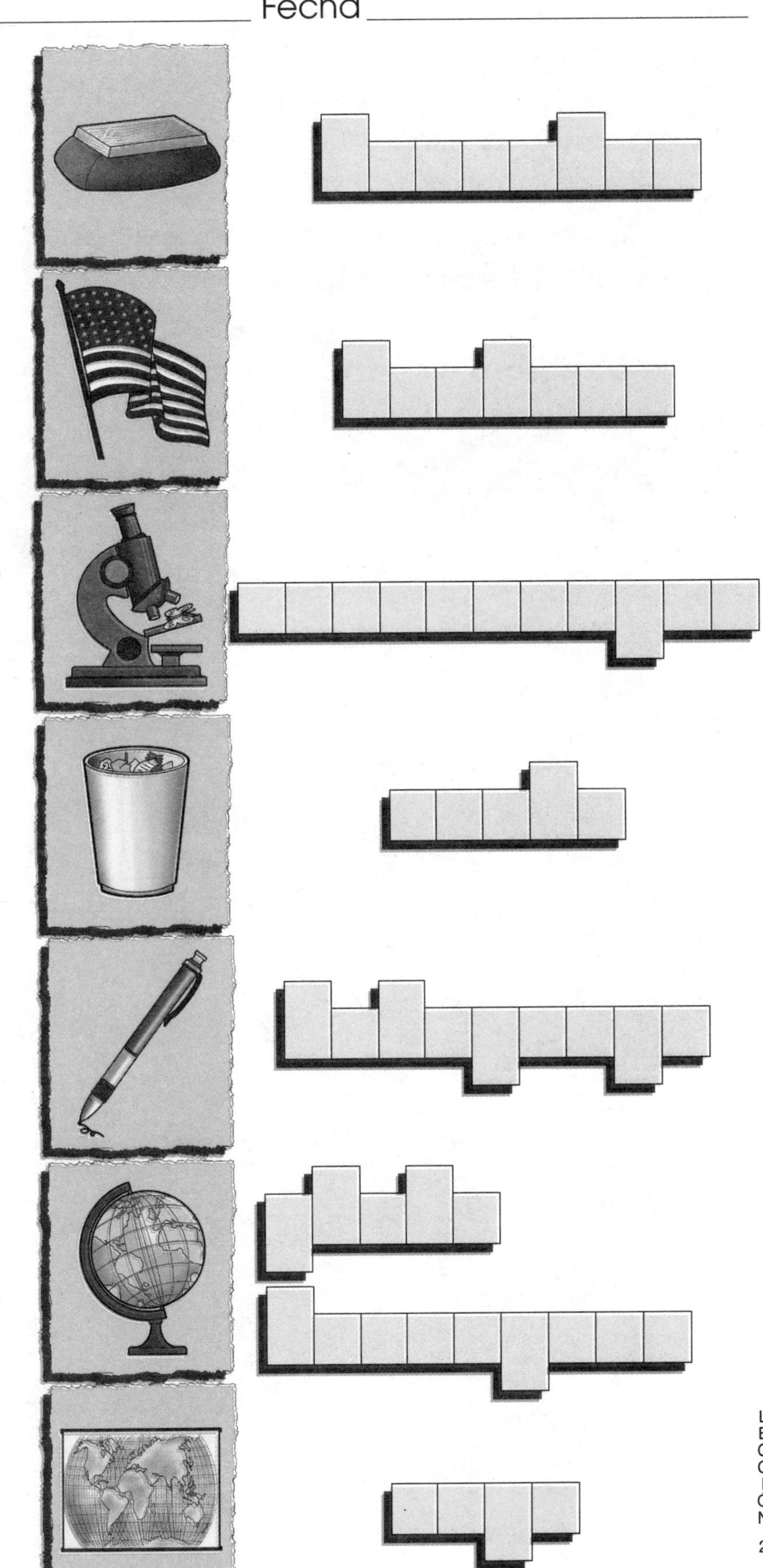

1) Está en la clase.
Es para borrar la pizarra.

2) Está frente a la escuela.
Tiene tres colores: rojo, azul y blanco.

3) Hay muchos en la escuela.
Están en la clase de ciencias.

4) Hay uno en la clase.
Tiene papeles adentro.

5) No es un lápiz.
Es para escribir.

6) Mi maestro tiene uno.
Es redondo y está en la clase de estudios sociales.

7) Está en la clase de estudios sociales también.

Nombre ______________________________ Fecha ____________________

Lee y circula.

1) Yo **voy** a la escuela en **otoño**.
2) **Ella** es la maestra de **ciencias**.
3) Hay un **mapa** y una **bandera** en la clase.
4) Mi amiga **va** a la **playa**.
5) La maestra **enseña** los **meses** del año.
6) El **bolígrafo** está sobre la **mesa**.
7) El **cesto** está detrás de la **puerta**.

m	v	o	y	s	l	q	k	b	q	u	k	d	t	o
p	q	t	q	c	e	s	t	o	a	t	l	g	w	i
l	w	o	u	t	i	o	r	l	k	h	q	y	m	u
a	f	ñ	a	f	g	z	c	í	e	n	c	i	a	s
y	a	o	s	j	d	b	q	g	w	s	u	x	i	r
a	d	y	h	k	n	h	a	r	z	c	t	b	m	y
j	n	p	t	w	c	l	b	a	n	d	e	r	a	i
k	x	m	e	s	a	i	y	f	g	m	w	h	p	r
p	c	o	n	b	r	w	o	o	n	i	a	s	a	f
l	v	q	s	u	p	t	m	u	j	a	l	z	w	g
u	b	m	e	s	e	s	e	z	q	x	g	k	j	h
g	r	a	ñ	z	x	y	j	w	p	u	e	r	t	a
e	l	l	a	t	q	v	a	b	r	k	y	c	q	p
r	z	w	v	f	c	i	e	n	c	i	a	s	b	y

Nombre ______________________ Fecha ______________________

Observa, lee y escribe el número.

1) caballete 2) xilófono 3) acuarela

4) pincel 5) computadora 6) flauta

7) creyones 8) pandereta

Nombre ____________________ Fecha ____________________

Observa, lee y marca.

Voy a la clase de...
❒ ciencias
❒ matemáticas

Él va a la clase de...
❒ español
❒ música

Él va a la clase de...
❒ estudios sociales
❒ arte

Ella va a la clase de...
❒ ciencias
❒ español

Yo voy a la clase de...
❒ música
❒ estudios sociales

Él va a la clase de...
❒ matemáticas
❒ arte

Completa:
Yo aprendo a escribir en la ____________________.

Nombre ______________________ Fecha ______________________

Lee y completa.

1. Yo ______________________ los números.	estudio estudia
2. Ulises ______________________ la flauta.	toco toca
3. La Sra. López ____________ español a los alumnos.	hablo habla
4. Él ______________________ con pincel y acuarela.	pinto pinta
5. Lulú ______________________ muy bien.	canto canta
6. Yo ______________________ español con mis amigas.	hablo habla
7. La maestra ____________ a pintar un cuadro.	enseño enseña
8. Julio ______________________ el cuadro.	miro mira
9. Yo ______________________ en la clase de música.	canto canta
10. Ella ______________________ con su abuela.	hablo habla
11. Él ______________________ el xilófono.	toco toca
12. Yo ______________________ la bandera.	pinto pinta

Nombre ______________________________ Fecha ____________________

Lee, ordena y completa.

1. Lina toca la ______________________________ .

2. Mi hermana va a la clase de ________________ .

3. La maestra de arte nos enseña a ____________ .

4. Mi clase favorita es la clase de ______________ .

5. Yo voy a tocar el ______________________ .

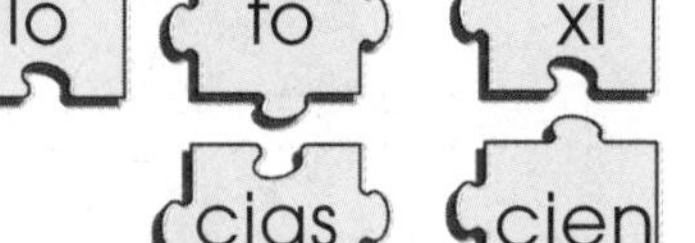

6. Él es el maestro de ____________________ .

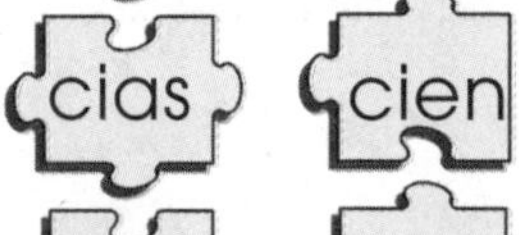

7. En la clase de español aprendo a ___________ .

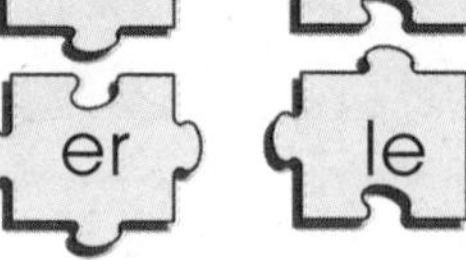

Lee y escribe.

Los lunes y los miércoles voy a la biblioteca a ______________ .

El martes, en la clase de arte pinto con __________________ .

El jueves voy a escribir en la ____________________ .

También toco la _____________________

en la clase de música.

Estoy contento en la clase de ciencias cuando

miro por el ____________________________ .

acuarela microscopio leer flauta computadora

Nombre ______________________ Fecha ______________________

Lee y une.

10

- diez
- veinte
- treinta
- cuarenta
- cincuenta
- sesenta

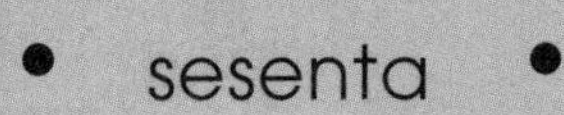

- setenta
- ochenta
- noventa
- cien

50

Nombre ______________________ Fecha ______________

Lee y completa.

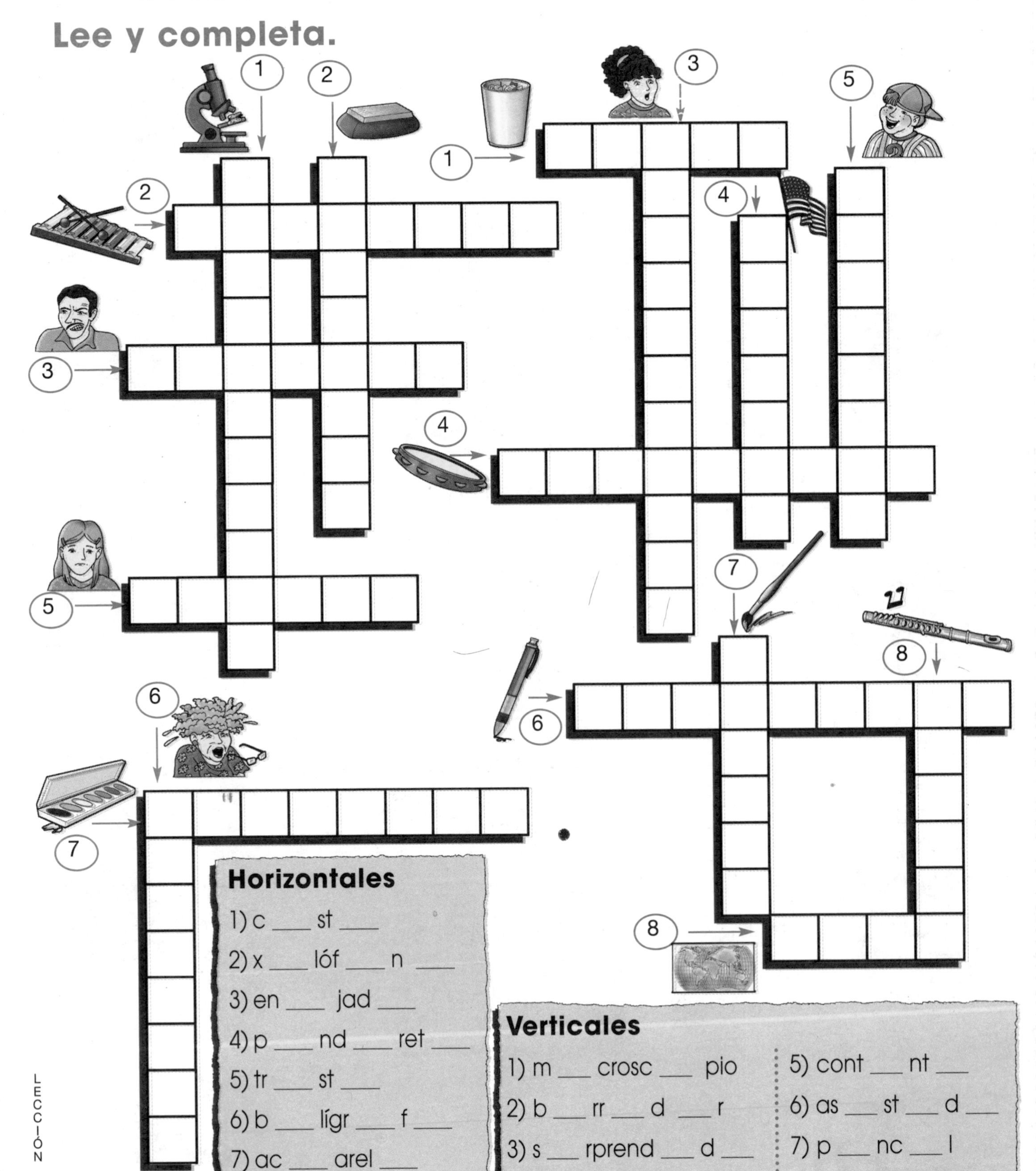

Horizontales

1) c ___ st ___
2) x ___ lóf ___ n ___
3) en ___ jad ___
4) p ___ nd ___ ret ___
5) tr ___ st ___
6) b ___ lígr ___ f ___
7) ac ___ arel ___
8) m ___ p ___

Verticales

1) m ___ crosc ___ pio
2) b ___ rr ___ d ___ r
3) s ___ rprend ___ d ___
4) b ___ nd ___ r ___
5) cont ___ nt ___
6) as ___ st ___ d ___
7) p ___ nc ___ l
8) fl ___ ut ___

Nombre ____________________ Fecha ____________________

Observa, lee y une.

oficina dental

estación de policía

oficina de correo

cine

escuela

zapatería

supermercado

restaurante

Nombre ______________________ Fecha ______________________

Lee y completa.

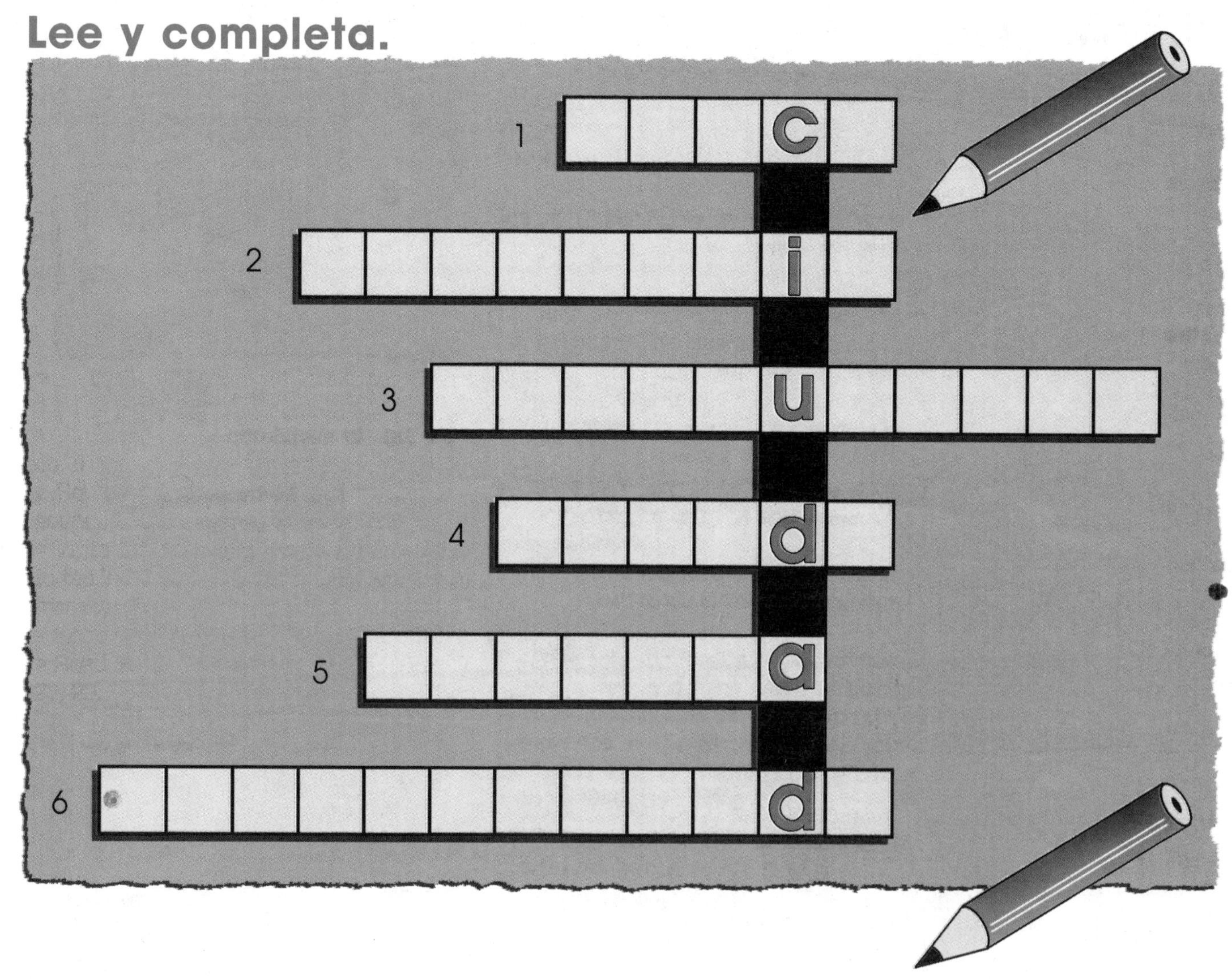

1) Mamá va al ______________________ .

2) Maricela va a la ______________________ .

3) Mi papá trabaja en el ______________________ .

4) Ana va a la ______________________ de animales.

5) Yo voy a la ______________________ .

6) El ______________________ está al lado de la zapatería.

restaurante	escuela	banco
tienda	supermercado	zapatería

Nombre ______________________ Fecha ______________

Observa, lee y completa.

1) El banco está ______________________ de la zapatería.

2) La florería está a la ______________________ del cine.

3) La escuela está ______________________ la calle Sevilla y Valencia.

4) La frutería está ______________________ del supermercado.

5) La estación de policía está a la ______________________ del correo.

6) El restaurante está ______________________ la tienda de animales y el cine.

entre	derecha	izquierda
delante	entre	detrás

Nombre ______________________ Fecha ______________

Observa, lee y completa.

1) Ella ______________________
camino - camina
a la oficina de correo.

2) Yo ______________________
compro - compra
frutas en la frutería.

3) Luis ______________________
cruzo - cruza
la calle Sevilla.

4) María ______________________
visito - visita
a su amiga.

5) Ana ______________________
compra - compro
flores en la florería.

6) Yo ______________________
camina - camino
a la escuela.

Nombre ______________________________ Fecha ____________________

Ordena y escribe.

1) ______________________

2) ______________________

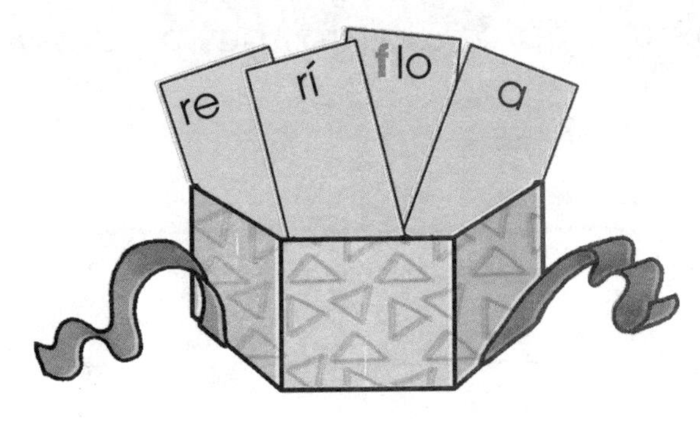

3) ______________________

4) ______________________

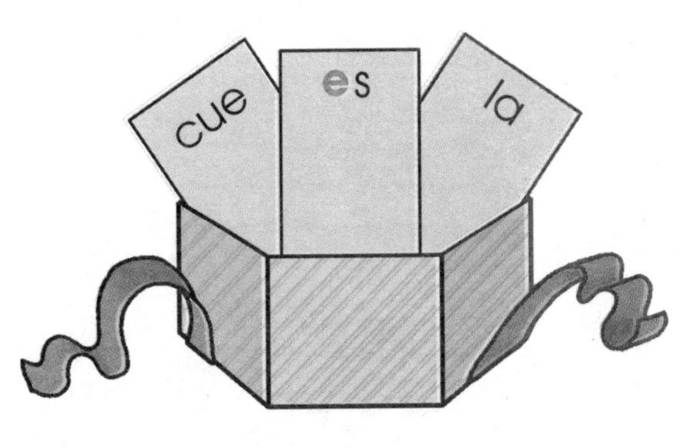

5) ______________________

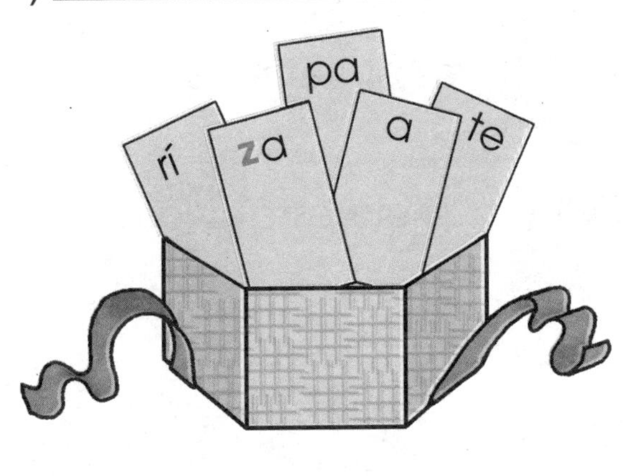

6) ______________________

7) ______________________

8) ______________________

Nombre ______________________ Fecha ______________

Lee, contesta y escribe.

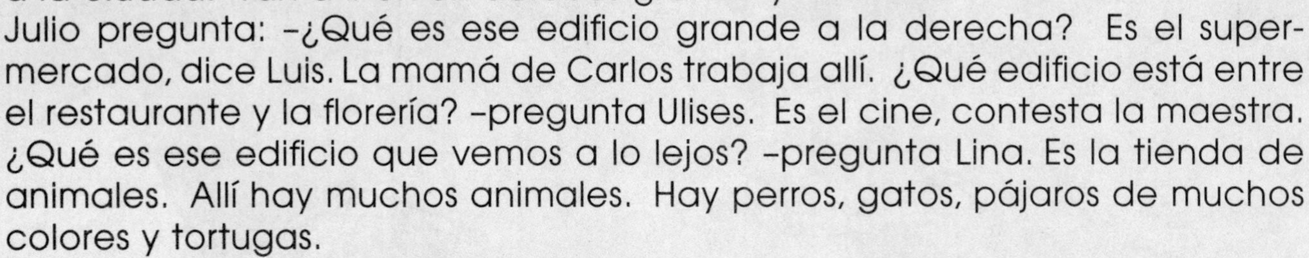

Un paseo a la ciudad

Los alumnos de la clase de estudios sociales de la señora Pérez van de paseo a la ciudad. Van a ir en un autobús grande y amarillo.
Julio pregunta: -¿Qué es ese edificio grande a la derecha? Es el supermercado, dice Luis. La mamá de Carlos trabaja allí. ¿Qué edificio está entre el restaurante y la florería? -pregunta Ulises. Es el cine, contesta la maestra. ¿Qué es ese edificio que vemos a lo lejos? -pregunta Lina. Es la tienda de animales. Allí hay muchos animales. Hay perros, gatos, pájaros de muchos colores y tortugas.
Por la tarde los niños regresan a la escuela contentos pero cansados.
¡Qué día más divertido!

1. ¿Adónde va la clase de la señora Pérez?

____.

2. ¿Cómo van a ir?

____.

3. ¿Cómo es el autobús?

____.

4. ¿Qué edificio está a la derecha?

____.

5. ¿Quién trabaja allí?

____.

6. ¿Qué edificio está entre el restaurante y la florería?

____.

7. ¿Qué ven a lo lejos?

____.

8. ¿Qué animales hay en la tienda?

____.

9. ¿Cómo regresan los niños a la escuela?

____.

Nombre ______________________ Fecha ______________

Observa, lee y une.

tienda de ropa

estación de bomberos

hospital

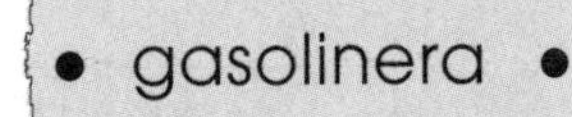

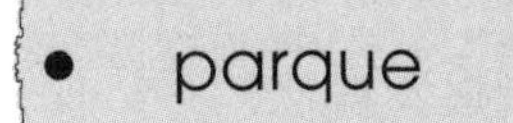

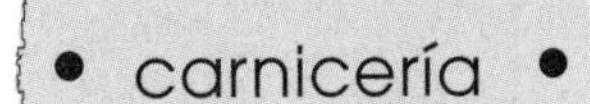

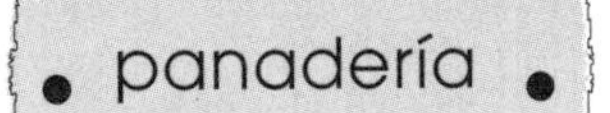

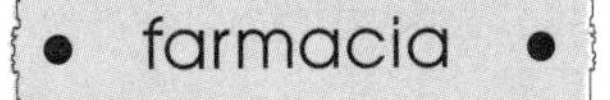

Nombre ______________________________ Fecha ____________________

Lee, observa y completa.

1. El ______________________ está en la calle San Fermín.

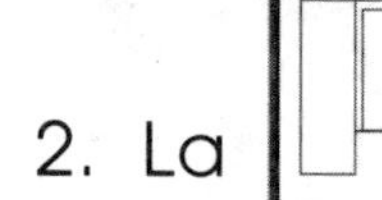

2. La ______________________ está en la calle Málaga.

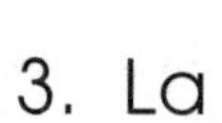

3. La ______________________ está entre la gasolinera y la panadería.

4. La ______________________ está en la calle Barcelona.

5. El ______________________ está detrás de la farmacia.

6. La ______________________ está junto a la farmacia.

7. La ______________________ está en la calle Córdoba.

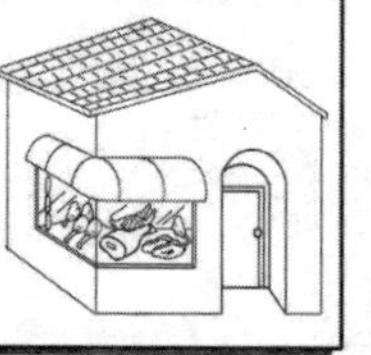

8. La ______________________ está a la izquierda del hospital.

farmacia | gasolinera | parque | carnicería | estación de bomberos | panadería | tienda de ropa | hospital

Nombre ______________________ Fecha ______________

Observa y completa.

1. Inés está ______________________ la escuela.
2. Omar está ______________________ la escuela.
3. El supermercado está ______________________ la frutería.
4. El gato está ______________________ la lámpara.
5. El libro está ______________________ la mesa.
6. El reloj está a la ______________________ de Lupe.
7. El reloj está a la ______________________ de José.
8. Ella está ______________________ Ramón.
9. El globo terráqueo está ______________________ la niña y el niño.
10. El gato está ______________________ la butaca.

después de	izquierda	delante de	entre	lejos de
sobre	dentro de	cerca de	derecha	detrás de

Nombre ______________________________ Fecha ______________________

Observa y completa.

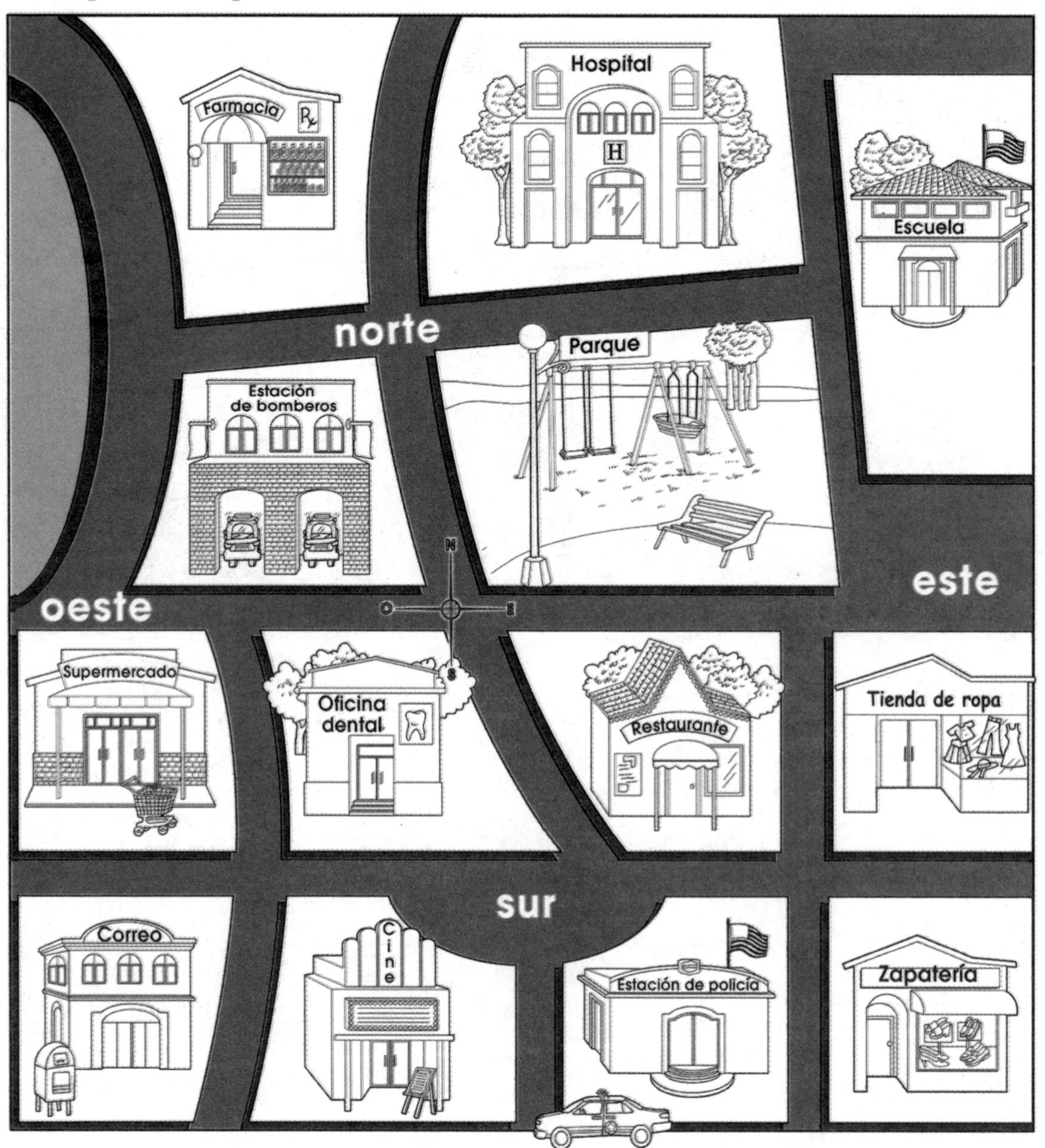

1) El hospital está al ______________ del parque.

2) El correo está al ______________ de la estación de bomberos.

3) El supermercado está al ________ de la oficina dental.

4) La tienda de ropa está al ______ del restaurante.

5) La zapatería está al ______________ de la tienda de ropa.

6) La farmacia está al ______________ del parque.

7) La escuela está al ______________ del parque y del hospital.

8) El restaurante está al ______________ de la estación de policía.

Nombre ______________________ Fecha ______________________

Observa y completa.

hos ______ tal

restauran ______

co ______ o

ga ______ linera

far ______ cia

escue ______

______ permercado

pa ______ dería

fru ______ ría

car ______ cería

flo ______ ría

ban ______

Nombre ______________________ Fecha ______________

Clasifica y escribe.

Singular

1 ______________________
2 ______________________
3 ______________________
4 ______________________
5 ______________________
6 ______________________
7 ______________________
8 ______________________
9 ______________________
10 ______________________

Plural

11 ______________________
12 ______________________
13 ______________________
14 ______________________
15 ______________________
16 ______________________
17 ______________________
18 ______________________
19 ______________________
20 ______________________

silla
tizas
mesas
alumno
perros
banderas
gato
flauta
triste
acuarela
mapa
farmacias
correo
libros
blusa
cines
cestos
bancos
parques
enojada

Nombre ______________________ Fecha ______________

Observa y une.

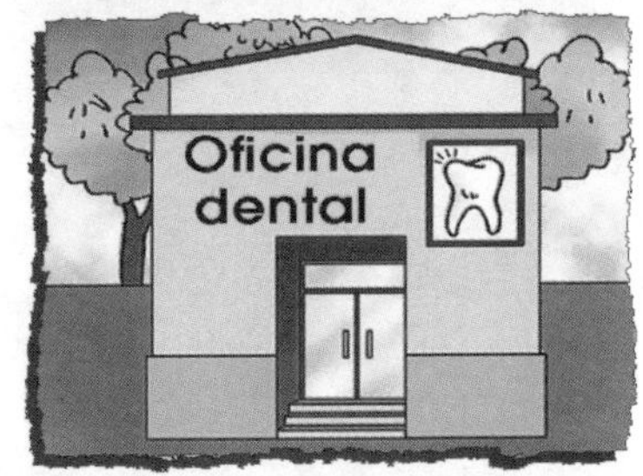

Nombre ______________________ Fecha ______________

Lee y completa.

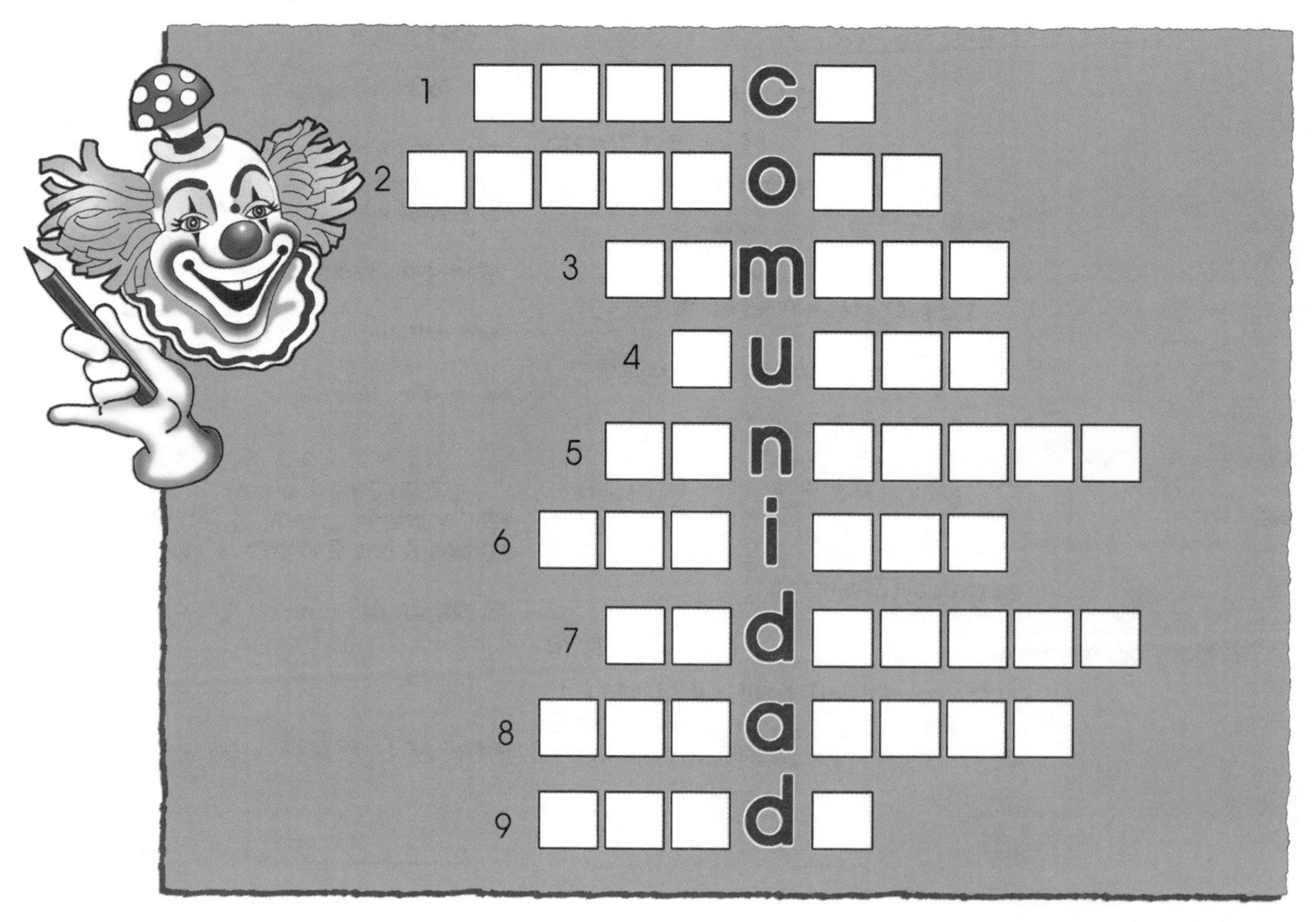

1) El ______________________ cura los enfermos.

2) Las luces del ______________________ son roja, amarilla y verde.

3) El ______________________ de bomberos está en la calle.

4) El bombero apaga el ______________________ .

5) El ______________________ trabaja en la oficina dental.

6) El ______________________ trabaja en la estación de policía.

7) La manguera está en el ______________________ .

8) La ______________________ está en el camión de bomberos.

9) El policía ______________________ a cruzar la calle.

Nombre ______________________________ Fecha ____________________

Observa, lee y escribe.

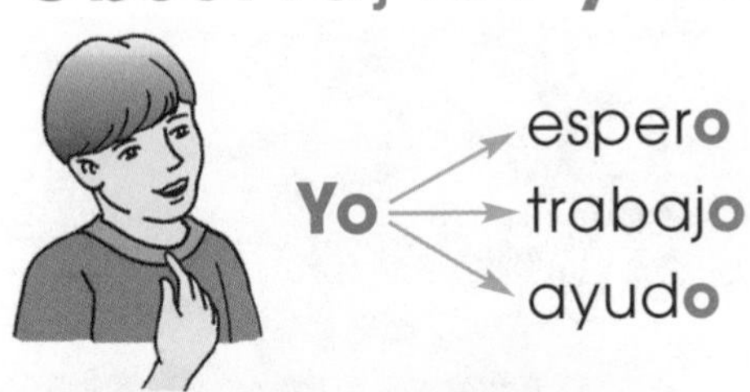

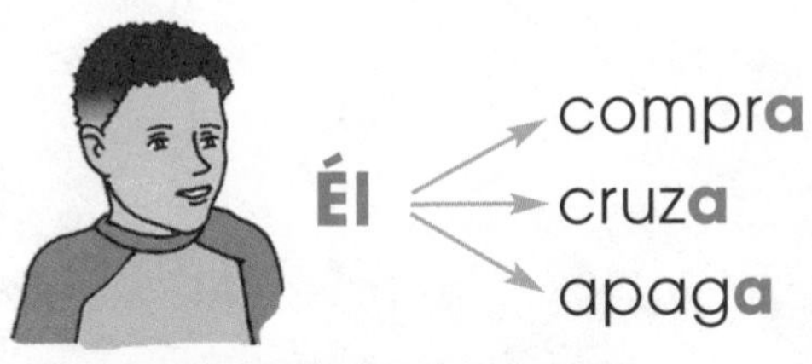

1) Yo ______________
a mi papá.

2) Él ______________
el fuego.

3) Ella ______________
al enfermo.

4) María ______________
¡Auxilio!

5) Julio ______________
la calle.

6) Yo ______________
en la farmacia.

7) Ella ______________
un libro.

8) Yo ______________
el autobús.

9) Él ______________
frutas.

Nombre ______________________________ Fecha ____________________

Observa, lee y escribe el negativo.

1) Yo grito ¡Socorro!

______________________________.

2) Yo trabajo en la farmacia.

______________________________.

3) Él ayuda a su mamá.

______________________________.

4) El cartero lleva las cartas.

______________________________.

5) Ella apaga el televisor.

______________________________.

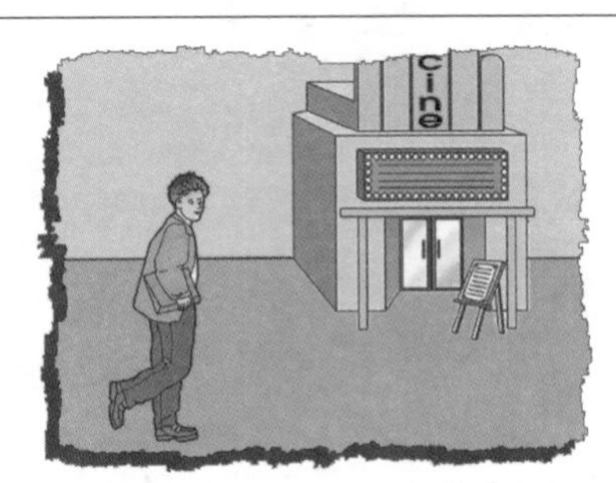

6) Yo camino al cine.

______________________________.

7) Dora trabaja en la florería.

______________________________.

8) Luis cura a su gato.

______________________________.

Nombre ______________________ Fecha ______________________

Lee y marca.

1. El cartero lleva cartas. ❐ Sí ❐ No
2. La maestra enseña español. ❐ Sí ❐ No
3. El cartero apaga el fuego. ❐ Sí ❐ No
4. El policía trabaja en la estación de policía. ❐ Sí ❐ No
5. El dentista trabaja en la tienda de animales. ❐ Sí ❐ No
6. En la farmacia hay medicinas. ❐ Sí ❐ No
7. El dentista lleva las cartas. ❐ Sí ❐ No
8. El bombero trabaja en la escuela. ❐ Sí ❐ No
9. El buzón está en la oficina de correo. ❐ Sí ❐ No
10. El bombero apaga el fuego. ❐ Sí ❐ No
11. El médico cura a los enfermos. ❐ Sí ❐ No
12. El farmacéutico cuida el vecindario. ❐ Sí ❐ No
13. La enfermera ayuda al médico. ❐ Sí ❐ No

Nombre ______________________ Fecha ______________

Circula el objeto que no pertenece.

Escribe.

policía	cartero	bombero
______	______	______
______	______	______
médico	farmacéutico	enfermera
______	______	______
______	______	______

Nombre ______________________ Fecha ______________

Observa y une.

- florería
- frutería
- gasolinera
- restaurante
- zapatería
- carnicería
- panadería
- oficina de correo

Nombre ______________________ Fecha ______________________

Completa.

Es el ______________ .

Es el ______________ .

Es el ______________ .

Es el ______________ .

Es la ______________ .

Es el ______________ .

Es el ______________ .

Es el ______________ .

mecánico	frutero	panadero	carnicero
florista	zapatero	empleado	camarero

Nombre ______________________ Fecha ______________

Lee y completa.

1) Nosotras ______________ en la florería. — trabajamos / trabajan

2) Ellos ______________ el pan. — preparamos / preparan

3) Ellas ______________ las flores. — arreglamos / arreglan

4) Nosotros ______________ la carne. — cortamos / cortan

5) Ellas ______________ en la frutería. — trabajamos / trabajan

6) Ellos ______________ el papel. — cortamos / cortan

7) Nosotras ______________ la casa. — arreglamos / arreglan

8) Nosotros ______________ la fiesta de cumpleaños. — preparamos / preparan

9) Nosotros ______________ la mesa. — arreglamos / arreglan

10) Ellas ______________ las frutas. — cortamos / cortan

11) Ellos ______________ sombreros. — llevamos / llevan

12) Nosotras ______________ la torta de cumpleaños. — preparamos / preparan

Nombre ______________________ Fecha ______________________

Adivina, adivinador.

1) Él corta la carne.

Es el ______________________ .

2) Él arregla los carros.

Es el ______________________ .

3) Él trabaja en la zapatería.

Es el ______________________ .

4) Ella arregla las flores.

Es la ______________________ .

5) Él prepara el pan.

Es el ______________________ .

6) Él trabaja en la gasolinera.

Es el ______________________ .

7) Él trabaja en el restaurante.

Es el ______________________ .

8) Él trabaja en la frutería.

Es el ______________________ .

mecánico	camarero	florista	carnicero
empleado	frutero	zapatero	panadero

Nombre ______________________ Fecha ______________________

Observa, lee y completa.

1) ¿Quién es?

______________________ .

2) ¿Dónde trabaja?

______________________ .

3) ¿Qué quieres comprar?

______________________ .

4) ¿Cuánto cuestan los panes?

______________________ .

1) ¿Quién es?

______________________ .

2) ¿Dónde trabaja?

______________________ .

3) ¿Qué quieres comprar?

______________________ .

4) ¿Cuánto cuestan los manzanas?

______________________ .

1) ¿Quién es?

______________________ .

2) ¿Dónde trabaja?

______________________ .

3) ¿Qué quieres comprar?

______________________ .

4) ¿Cuánto cuestan los zapatos?

______________________ .

Nombre ______________________ Fecha ______________

Completa.

_____ patero

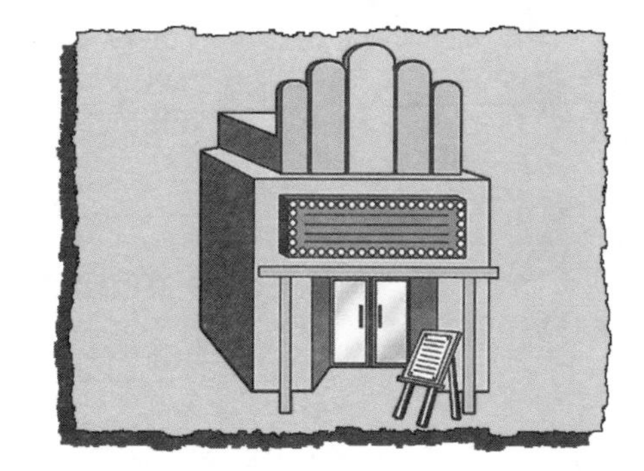

_____ ne

ca _____

caba _______ te

_____ lófono

_____ taca

_____ solinera

_____ drante

bom _____ ro

semá _____ ro

ni _____

_____ so

Nombre ____________________ Fecha ____________________

Observa.

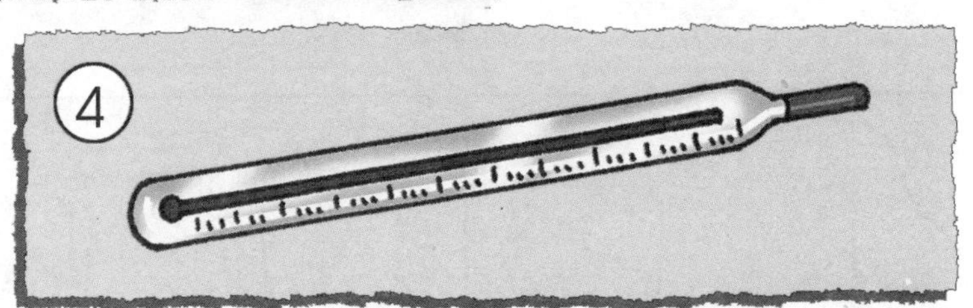

Escribe.

1) ____________________ 4) ____________________

2) ____________________ 5) ____________________

3) ____________________ 6) ____________________

7) ____________________

paciente medicinas consultorio recetas
teléfono vitaminas termómetro

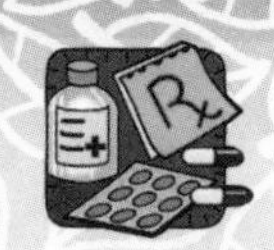

Nombre ______________________ Fecha ______________

Observa y escribe.

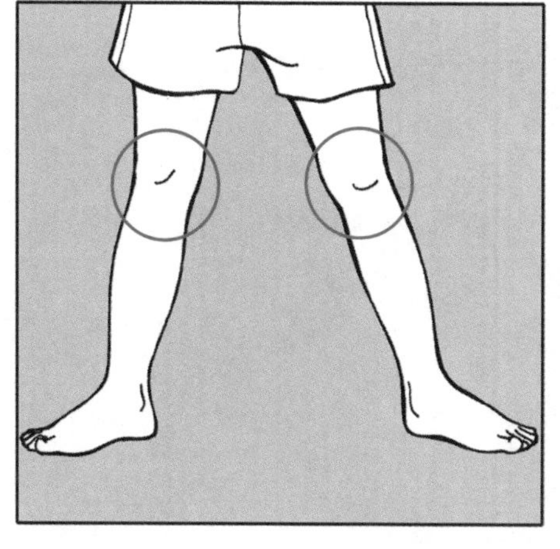

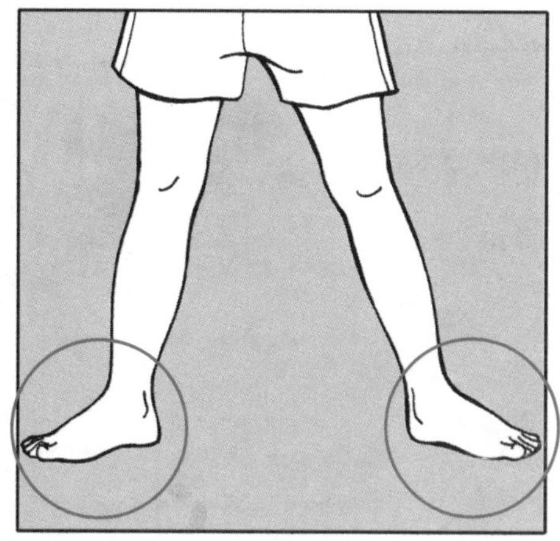

1) ______________________ 2) ______________________

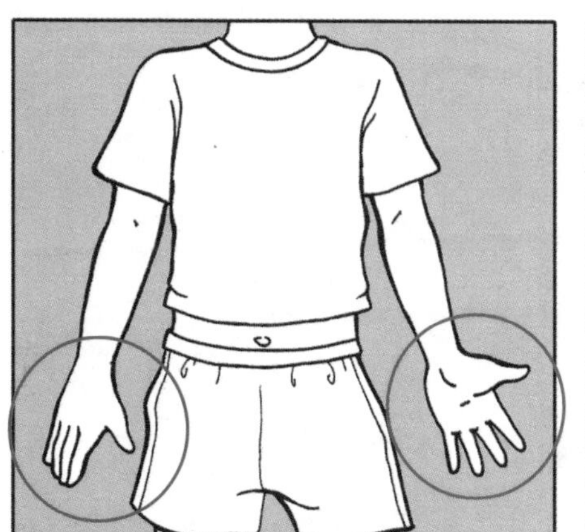

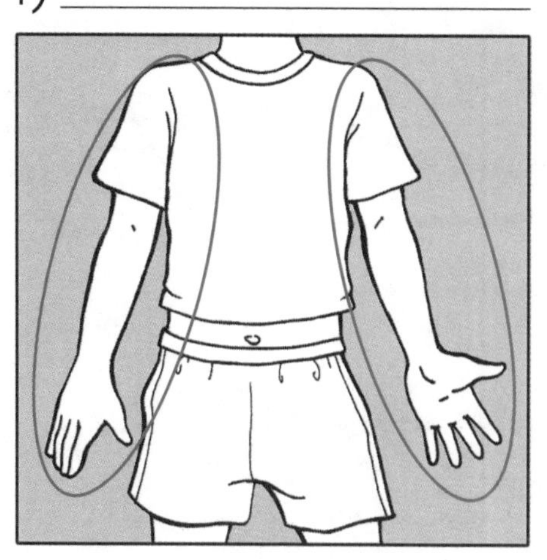

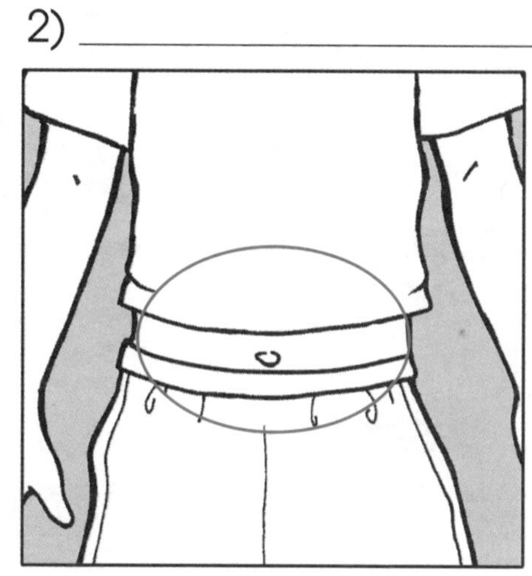

3) ______________________ 4) ______________________ 5) ______________________

6) ______________________ 7) ______________________ 8) ______________________

estómago brazos oídos pies rodillas
garganta cabeza manos

Nombre ______________________________ Fecha ____________________

Observa, escribe y une.

el, la, las, los

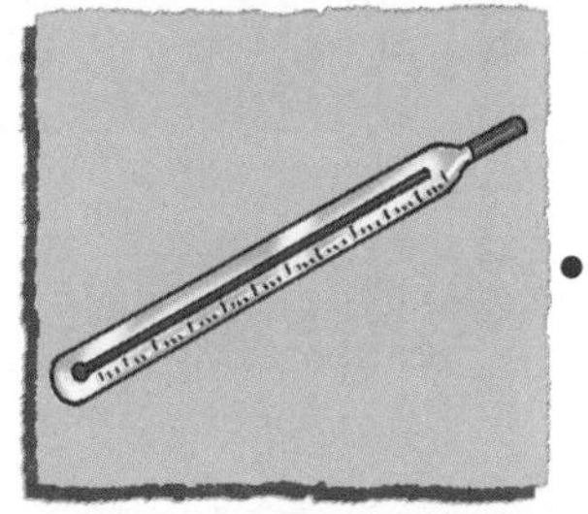

1) ______ manos
2) ______ estómago
3) ______ cabeza
4) ______ pies
5) ______ teléfono
6) ______ brazos
7) ______ medicinas
8) ______ recetas
9) ______ rodillas
10) ______ oídos
11) ______ garganta
12) ______ termómetro

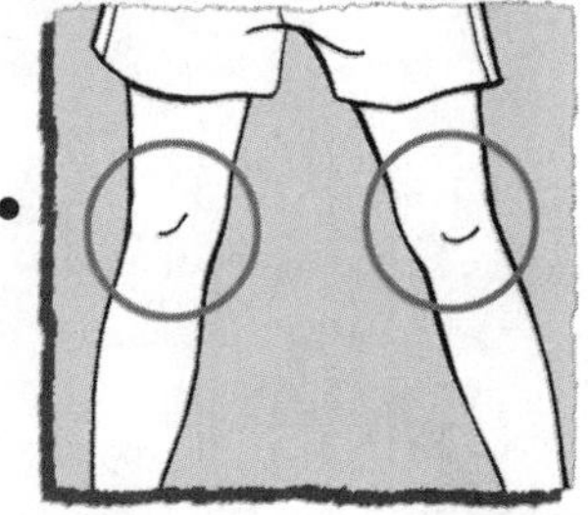

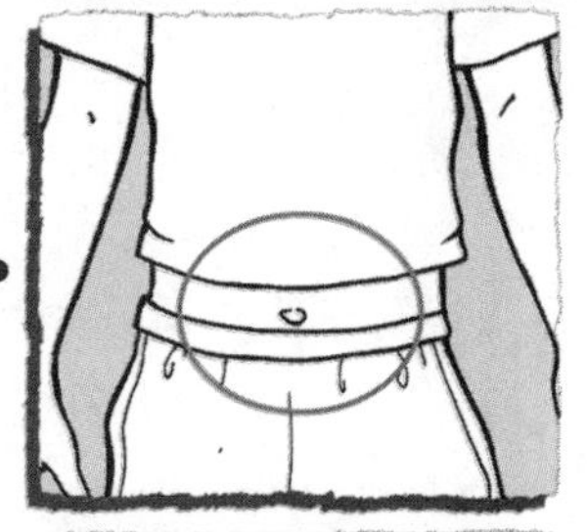

Nombre ______________________________ Fecha ____________________

Observa y escribe.

1) Me duele la ______________ .

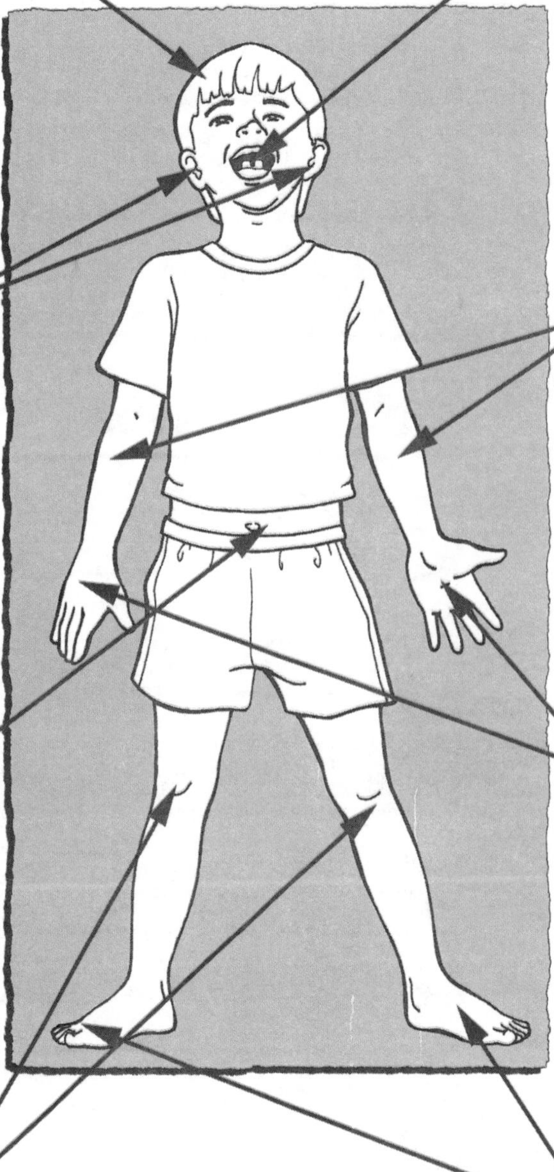

2) Me duelen los ______________ .

3) Me duele el ______________ .

4) Me duelen las ______________ .

5) Me duele la ______________ .

6) Me duelen los ______________ .

7) Me duelen las ______________ .

8) Me duelen los ______________ .

estómago	brazos	oídos	pies	rodillas
garganta	cabeza	manos		

Nombre ______________________ Fecha ______________________

Circula.

1) El paciente tiene fiebre.

2) El médico receta medicinas.

3) La enfermera habla por teléfono.

4) Me duelen los oídos.

5) El paciente está enfermo.

6) Mamá compra medicinas en la farmacia.

7) Me duele el estómago.

8) El médico y la enfermera trabajan en el consultorio.

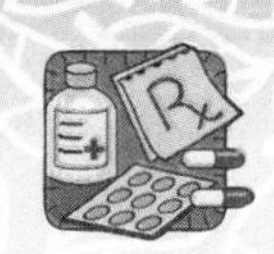

Nombre ______________________ Fecha ______________

Observa, traza y contesta.

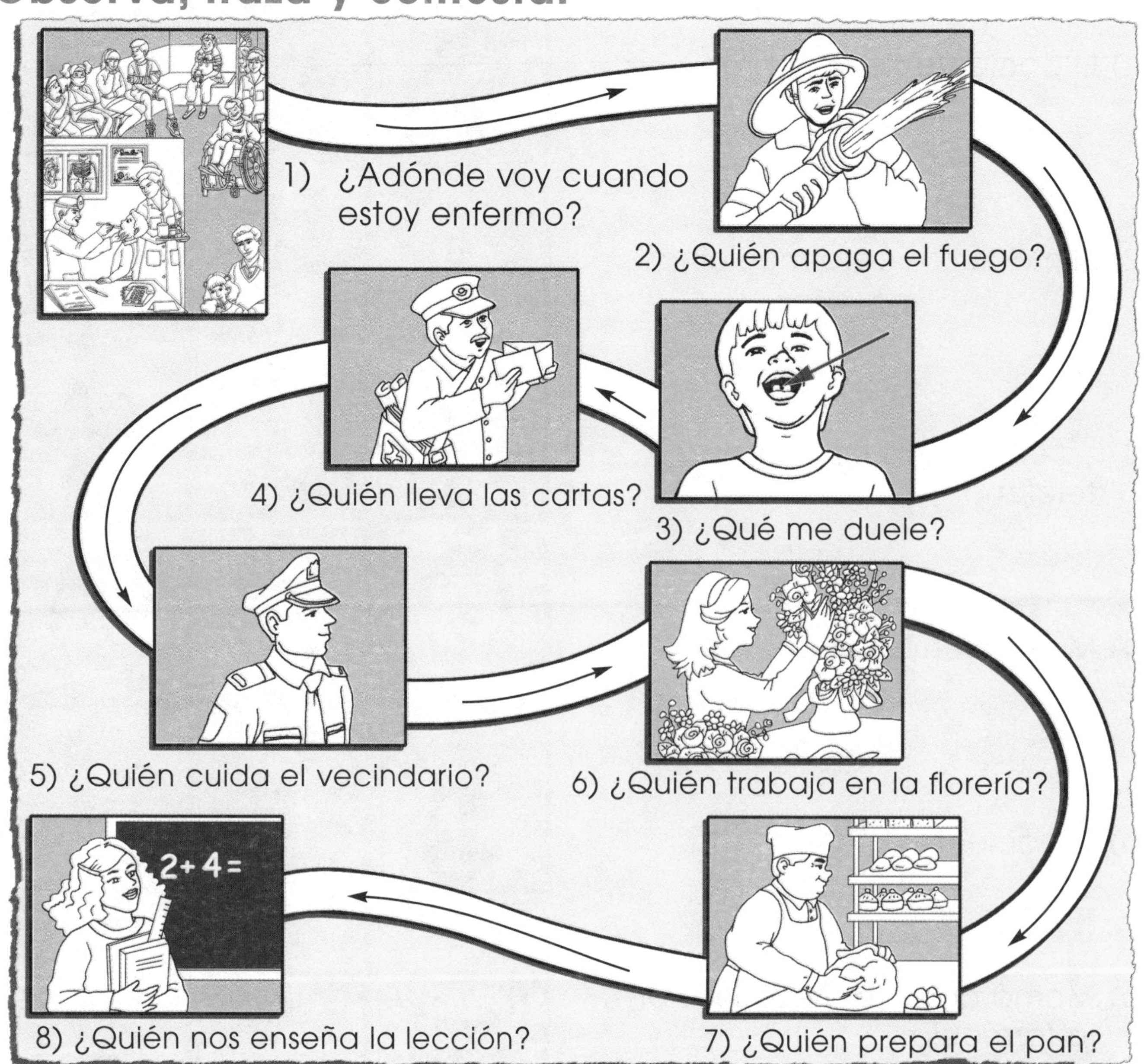

1) Voy al ______________ .

2) El ______________ apaga el fuego.

3) Me duele la ______________ .

4) El ______________ lleva las cartas.

5) El ______________ cuida el vecindario.

6) La ______________ trabaja en la florería.

7) El ______________ prepara el pan.

8) La ______________ nos enseña la lección.

policía · maestra · bombero · garganta · florista · panadero · consultorio · cartero

Nombre ______________________ Fecha ______________

Une.

- mamá
- hermana
- abuelo
- hermano
- abuela
- papá

Completa.

1) Es el ______________________ .

4) Es la ______________________ .

2) Es la ______________________ .

5) Es el ______________________ .

3) Es el ______________________ .

6) Es la ______________________ .

Nombre ______________________ Fecha ______________________

Lee y completa.

El señor López
La señora López
Rafael Pérez
Ana López
Luis López
María García
Rosa
José
Juan
Pedro
Nancy
La familia López

1) Pedro es el ______________ de Nancy.

2) La señora López es la ______________ de Rosa.

3) El señor López es el ______________ de Pedro y Nancy.

4) Ana es la ______________ de la señora López.

5) El señor López es el ______________ de Luis.

6) Ana es la ______________ de Nancy.

7) Nancy y José son ______________ .

8) Rosa es la ______________ de José y Juan.

9) Pedro es el ______________ de Luis y María.

10) Rafael es el ______________ de Ana.

hermano hija hermana papá tía primos
abuela abuelo hijo esposo

Nombre ______________________________ Fecha ____________________

Completa.

1) Ella ____________________ mi mamá.

2) Ellos ______________________ tus tíos.

3) Yo ____________ tu hermano mayor.

4) Ella __________ mi hermana menor.

5) Ellas __________________ mis primas.

6) Nosotros _____________ tus abuelos.

7) Yo ______________________ tu primo.

8) Ella ___________________ mi esposa.

9) Él ______________________ mi esposo.

10) Nosotros______________ tus sobrinos.

soy	es	somos	son

Nombre ______________________________ Fecha ____________________

Usa mi/mis.

Es ______________________________.

No es ______________________________.

Es ______________________________.

No es ______________________________.

Es ______________________________.

No es ______________________________.

Son ______________________________.

No son ______________________________.

Son ______________________________.

No son ______________________________.

Es ______________________________.

No es ______________________________.

Es ______________________________.

No es ______________________________.

Son ______________________________.

No son ______________________________.

primos	tíos	hermano	hermanas	papá	mamá	abuelo	abuela

Nombre ______________________ Fecha ______________________

Usa tu/tus.

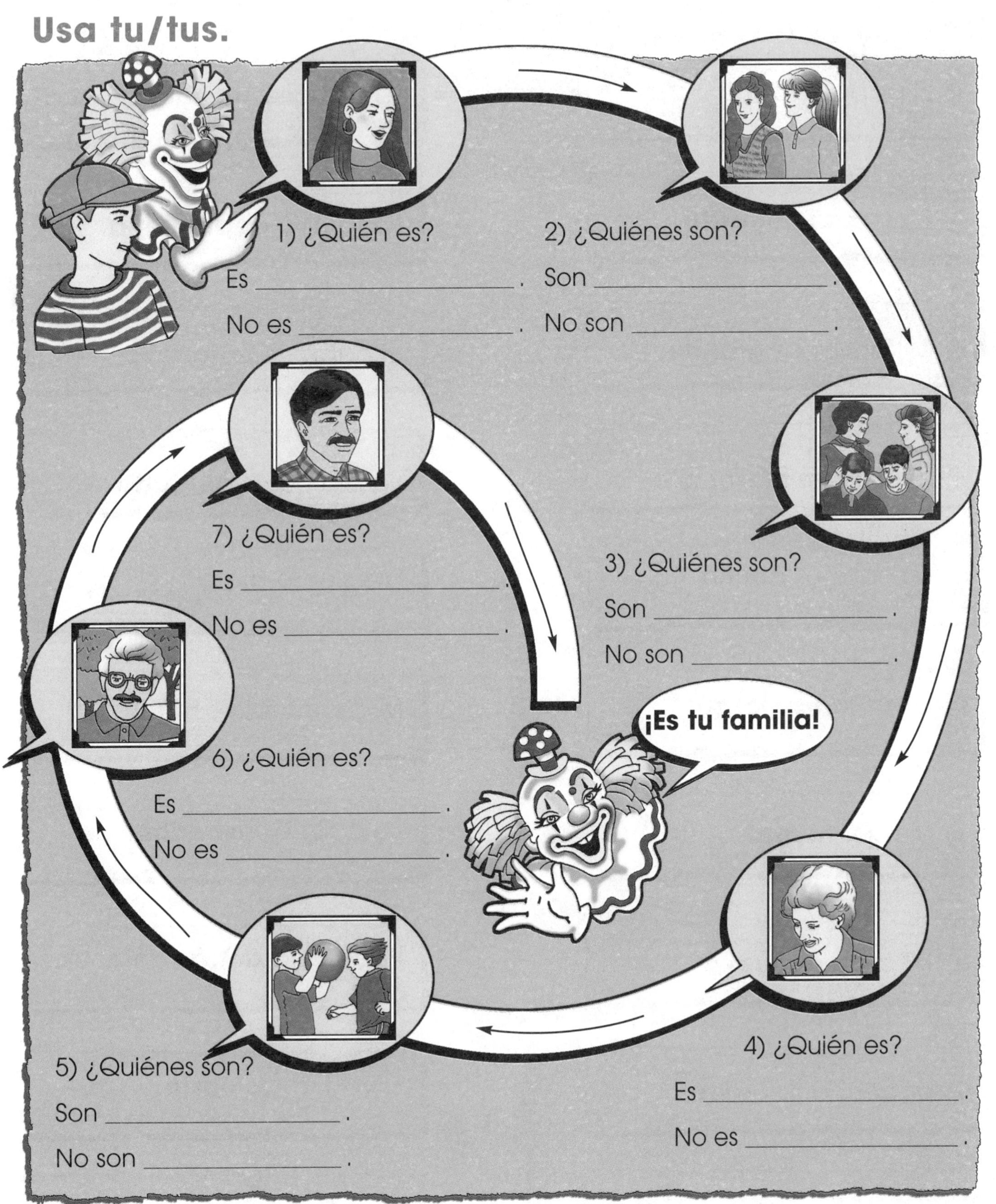

primas	abuela	papá	amigos	tíos	abuelo	tía

Nombre ______________________ Fecha ______________

Une los opuestos.

1) El papá es **alto**. •	• Tu primo es **menor** que Ana.
2) La mamá es **gorda**. •	• Mi familia es **pequeña**.
3) Mi familia es **grande**. •	• El papá es **bajo**.
4) Tu primo es **mayor** que Ana. •	• La mamá es **delgada**.
5) La calle es **ancha**. •	• Me siento **bien**.
6) El vestido es **largo**. •	• Mi hermana es **bonita**.
7) Me siento **mal**. •	• La calle es **estrecha**.
8) Mi casa es **nueva**. •	• Pepe está **detrás** del sofá.
9) Mi hermana es **fea**. •	• El vestido es **corto**.
10) Pepe está **delante** del sofá. •	• Mi casa es **vieja**.

Nombre ______________________________ Fecha ____________________

Observa.

Usa mayor / menor.

1) Julio es ______________ que Diana.

2) Rosa es ______________ que Hugo.

3) Ema es ______________ que Diana.

4) Sara es ______________ que Rosa.

5) David es ______________ que Raúl.

6) Sara es ______________ que Diana.

7) Raúl es ______________ que Hugo.

8) Inés es ______________ que David.

9) David es ______________ que Raúl y Rosa.

10) Ema es ______________ que Sara.

Nombre ______________________________ Fecha ____________________

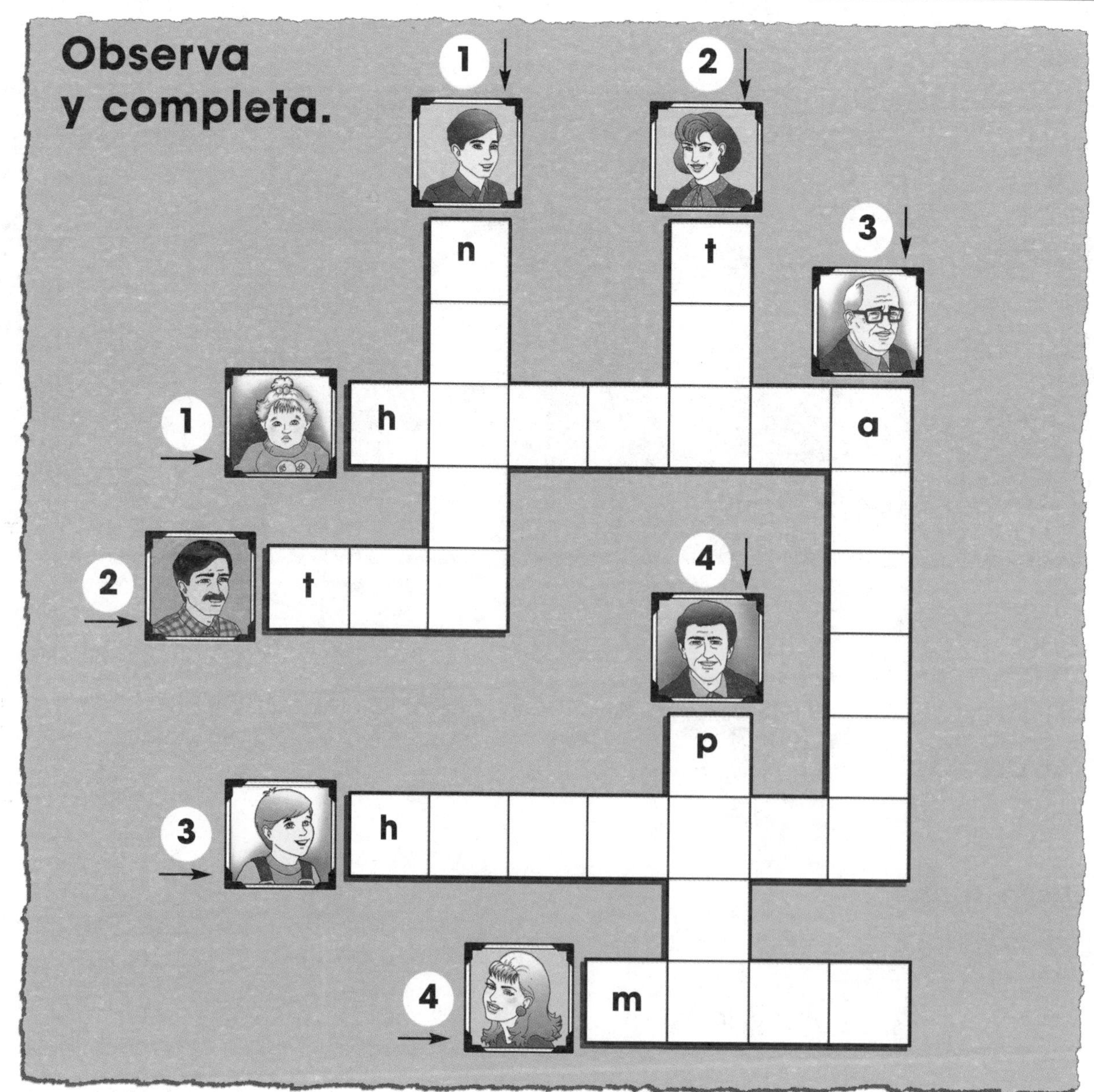

Horizontales

1) Tú ________________ es pequeña y bonita.

2) El ______________________ de Luis es mecánico.

3) Mi _________________________ es mayor que yo.

4) La _________________________ de Juan es baja.

Verticales

1) Mi ____________________ está bien.

2) Mi ______________________ es flaca.

3) Mi ______________________ se llama José.

4) El ____________________________ de David es alto.

Nombre ______________________________ Fecha ____________________

Observa y escribe.

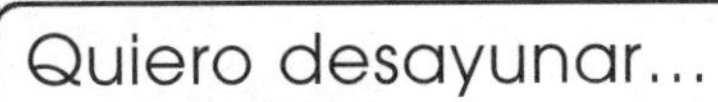

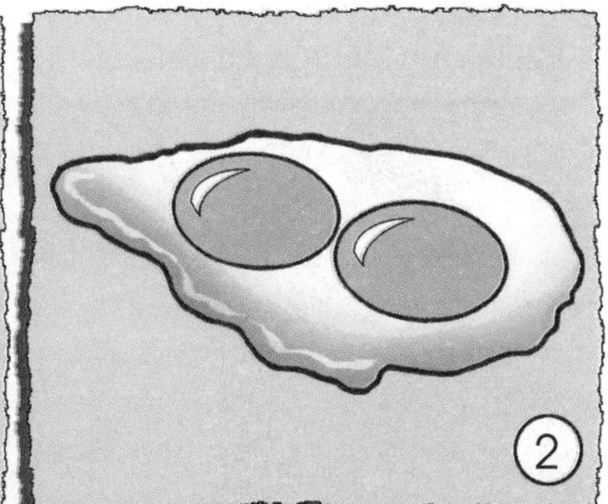

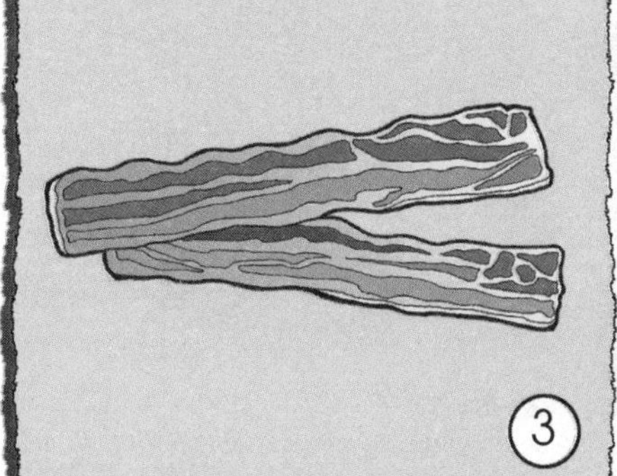

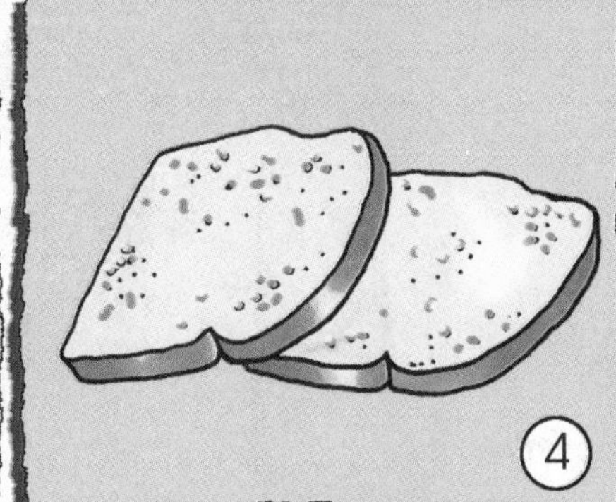

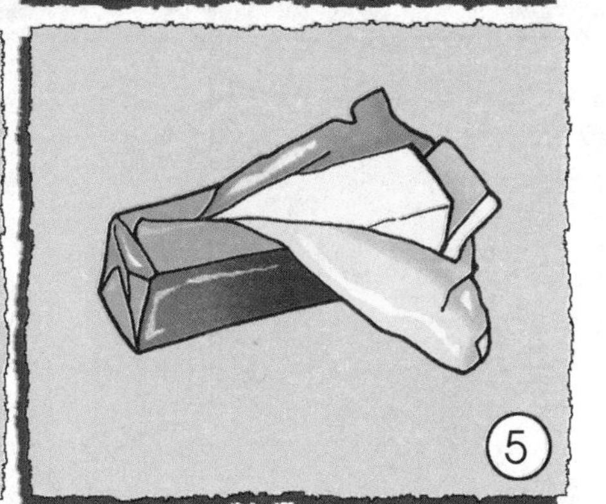

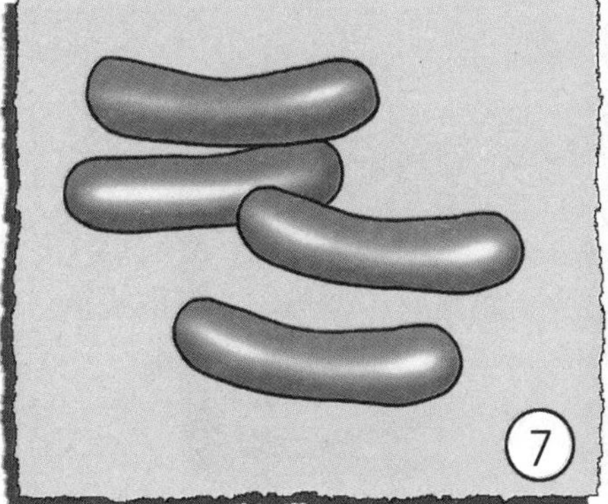

Escribe.

1) el ______________________

2) los ______________________

3) la ______________________

4) el ______________________

5) la ______________________

6) el ______________________

7) las ______________________

8) los ______________________

salchichas	pan tostado	panqueques	tocineta
sirope	queso crema	mantequilla	huevos fritos

Nombre ______________________ Fecha ______________________

Observa y escribe.

1) el ______________________

2) el ______________________

3) el ______________________

4) el ______________________

5) los ______________________

6) la ______________________

7) la ______________________

8) el ______________________

jalea	jugo de naranja	azúcar	huevos revueltos
café con leche	cereal	chocolate	leche

Nombre ______________________ Fecha ______________

Lee y completa.

1) Yo ____________ jugo de naranja por la mañana.	tomo / toma
2) Ellos ____________ huevos revueltos en su casa.	desayunan / desayuna
3) Nosotros ____________ huevos fritos y tocineta.	comemos / comen
4) Ella ____________ en el comedor.	desayunan / desayuna
5) Tú ____________ salchichas los domingos.	comen / comes
6) Yo ____________ panqueques con sirope.	come / como
7) Ellas ____________ café con leche por la mañana.	toman / tomamos
8) Tú ____________ a las ocho y cuarto.	desayuno / desayunas
9) Él ____________ leche con cereal.	toma / toman
10) Ella ____________ huevos fritos por la mañana.	comen / come
11) Yo ____________ chocolate en la cafetería.	tomo / tomamos
12) Él ____________ pan tostado con jalea.	comemos / come

Nombre ______________________________ Fecha ____________________

Lee y contesta.

¿Qué vas a comer?

¿Qué vas a tomar?

Voy a comer...

Voy a tomar...

1) ¿Qué vas a tomar jugo de naranja o leche?

____.

2) ¿Qué vas a comer huevos fritos o revueltos?

____.

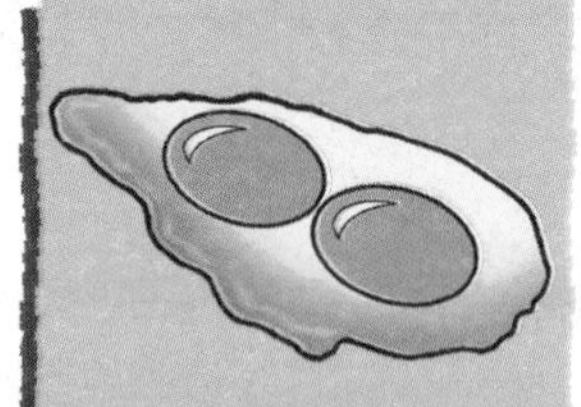

3) ¿Qué vas a comer salchichas o tocineta?

____.

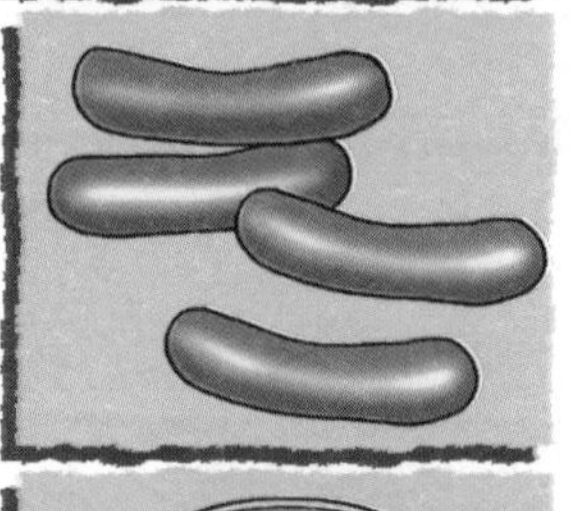

4) ¿Qué vas a tomar jugo de naranja o café con leche?

____.

5) ¿Qué vas a comer pan tostado o cereal?

____.

6) ¿Qué vas a comer pan tostado con jalea o panqueques con sirope?

____.

Nombre ______________________ Fecha ______________________

Observa y une.

Son las tres menos cuarto. •	• 
Son las doce y cuarto. •	• 
Es la una menos cuarto. •	• 
Son las siete y media. •	• 
Son las nueve en punto. •	• 
Es la una y cuarto. •	• 
Son las ocho y cuarto. •	• 
Son las cuatro y media. •	• 
Son las diez menos cuarto. •	• 
Es la una en punto. •	• 

Una hora en punto.

Una media hora.

Un cuarto de hora.

Menos un cuarto.

Nombre ______________________________ Fecha ____________________

Lee y completa.

1) Soy blanca,
Me tomas en el desayuno.
¿Qué soy?
Soy la ________________ .

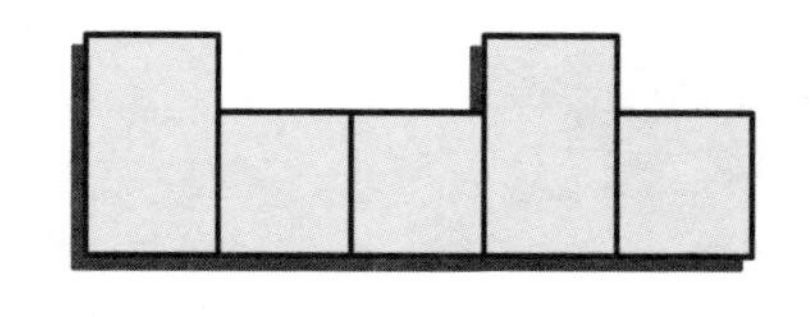

2) Soy amarillo por dentro,
y blanco por fuera.
Me comes frito o revuelto.
¿Qué soy?
Soy el ________________ .

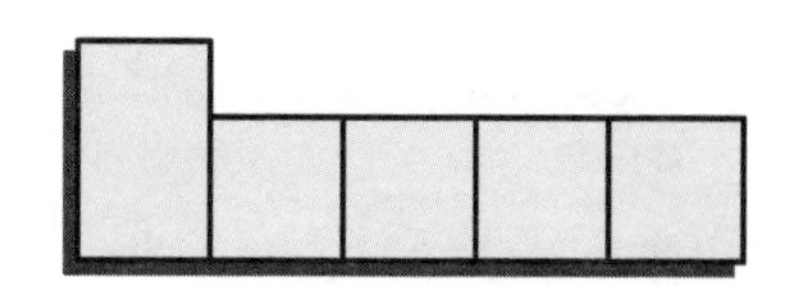

3) Me prepara el panadero,
me compras en la panadería
me comes en el desayuno.
¿Qué soy?
Soy el ________________ .

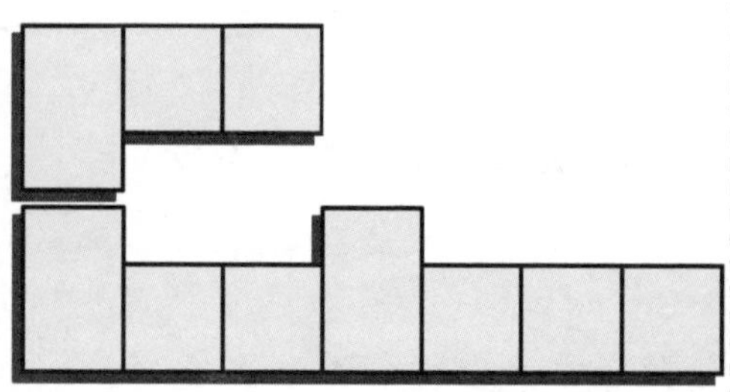

4) Me compras en
el supermercado,
me pones sobre
el panqueque.
¿Qué soy?
Soy el ________________ .

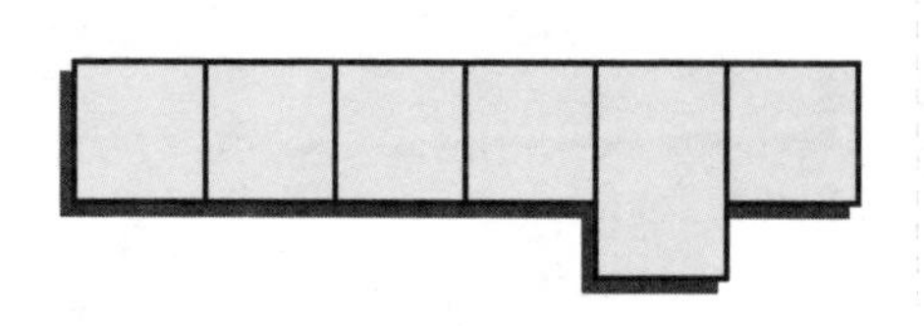

5) Soy de frutas, naranja,
manzana, uvas...
Me tomas en el desayuno.
¿Qué soy?
Soy el ________________ .

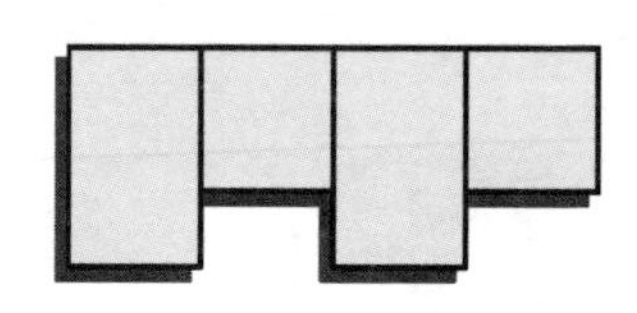

Nombre ______________________________ Fecha ____________________

Observa y escribe.

1) ________________ 2) ________________ 3) ________________

 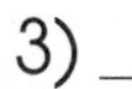

  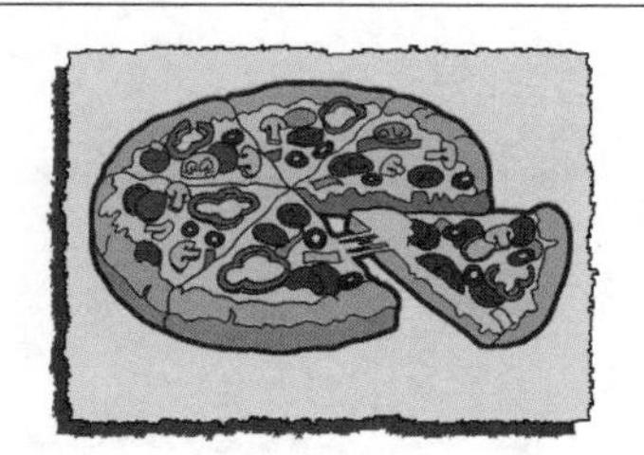

4) ________________ 5) ________________ 6) ________________

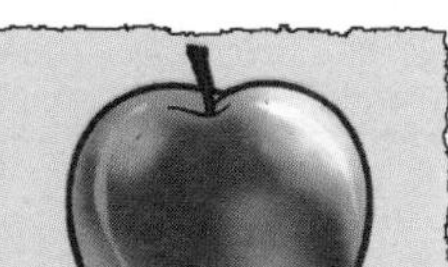

7) ________________ 8) ________________ 9) ________________ 10) ________________

 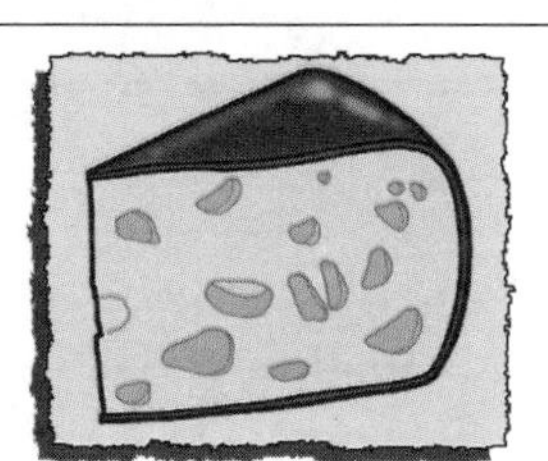  

11) ________________ 12) ________________ 13) ________________ 14) ________________

  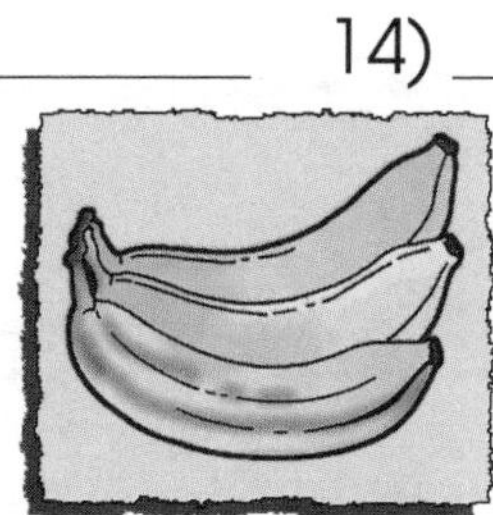

15) ________________ 16) ________________ 17) ________________

pera queso jamón mostaza hamburguesa soda
fresas limonada agua manzana mayonesa
bananas helado batido pizza uvas mantequilla de maní

Nombre ____________________ Fecha ____________________

Lee, marca y escribe.

1) Yo ____________ a las once y cuarto.	☐ almuerzo ☐ almorzamos
2) Él ____________ perro caliente.	☐ almuerzan ☐ almuerza
3) Tú ____________ a la una menos cuarto.	☐ almuerzas ☐ almuerzo
4) Ella ____________ manzana y uvas.	☐ almuerzo ☐ almuerza
5) Nosotros ____________ pizza.	☐ almuerza ☐ almorzamos
6) Ellas ____________ hamburguesa y papitas.	☐ almuerzan ☐ almuerzas
7) Nosotras ____________ en el comedor.	☐ almuerzan ☐ almorzamos
8) Ellos ____________ un sándwich de jamón.	☐ almuerzan ☐ almorzamos
9) Tú ____________ en la cafetería.	☐ almuerzas ☐ almuerzo
10) Ella ____________ a las doce y media.	☐ almuerzo ☐ almuerza
11) Yo ____________ en mi casa.	☐ almuerzo ☐ almorzamos
12) Él ____________ pizza y helado.	☐ almuerzan ☐ almuerza

Nombre ______________________ Fecha ______________________

Lee y completa.

¿**Es un** queso?

Sí, **es un** queso.

¿**Son unas** fresas?

Sí, **son unas** fresas.

1) ¿**Son unas** peras?

______________________ .

2) ¿**Es una** limonada?

______________________ .

3) ¿**Es un** sándwich?

______________________ .

4) ¿**Es un** helado?

______________________ .

5) ¿**Son unas** uvas?

______________________ .

6) ¿**Son unos** batidos?

______________________ .

Nombre ______________________ Fecha ______________

Observa, lee y escribe.

1) ¿**Es la** manzana?

No, no es la manzana.

Es la pizza.

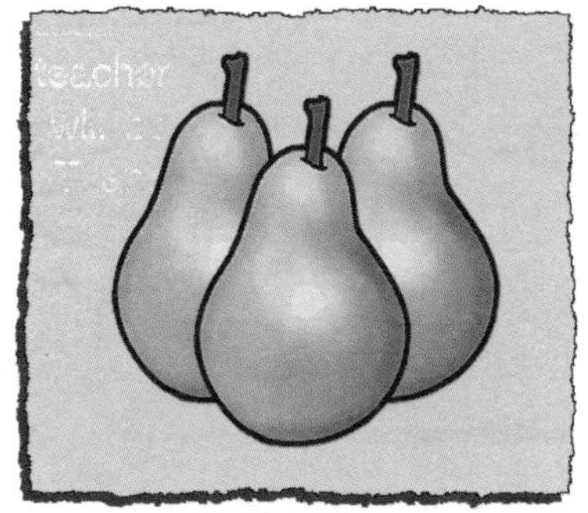

2) ¿**Son** las bananas?

____

____

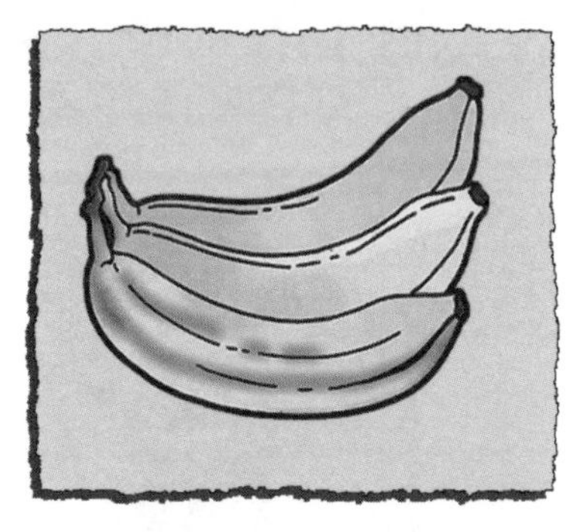

3) ¿**Son** las fresas?

____

____

4) ¿**Son** los batidos?

____

____

5) ¿**Son** las uvas?

____

____

6) ¿**Es** el queso?

____

____

Nombre ______________________________ Fecha ____________________

Observa.

abuelo abuela papá mamá prima hermano hermana yo

Lee y escribe.

1) Mi mamá es ____________ que mi papá.

2) Yo soy ____________ que mi abuela.

3) Mi abuelo es ____________ que mi abuela.

4) Mi prima es ____________ que mi mamá.

5) Mi hermana es ____________ que mi hermano.

6) Mi papá es ____________ que mi abuelo.

7) Mi prima es ____________ que mi hermano.

8) Mi papá es ____________ que yo.

Circula.

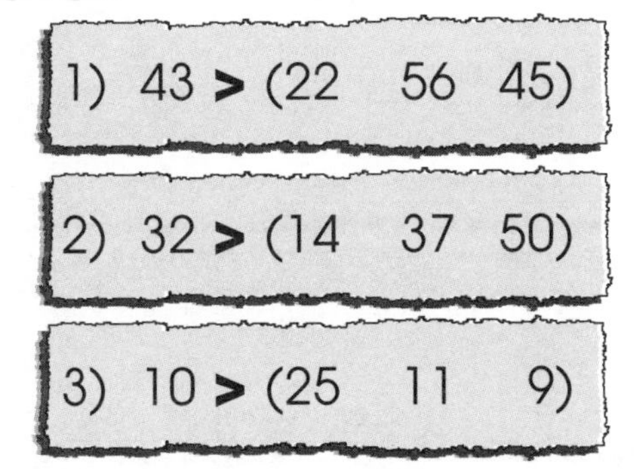

4) 28 < (16 24 37)

5) 18 < (20 17 16)

6) 39 < (45 38 34)

Nombre ______________________________ Fecha ____________________

Circula y escribe.

f	p	i	z	z	a	l	x	u	j	d	f	y	f	l	m	y	n
x	l	g	k	q	p	l	c	y	h	s	d	k	u	v	a	s	m
l	u	h	l	w	a	i	v	t	g	a	s	l	r	w	n	f	s
j	a	m	ó	n	s	m	b	r	h	m	o	s	t	a	z	a	v
q	i	a	z	e	d	o	n	e	e	b	a	p	e	r	a	d	b
w	o	y	x	r	f	n	m	w	l	n	q	p	q	g	n	o	c
e	p	o	c	t	g	a	g	u	a	v	f	r	e	s	a	s	q
r	a	n	v	y	h	d	p	q	d	c	w	j	k	k	z	e	u
t	s	e	b	u	j	a	o	l	o	x	e	h	l	j	a	i	e
y	d	s	n	i	k	z	i	k	f	z	r	f	r	u	t	a	s
u	h	a	m	b	u	r	g	u	e	s	a	d	z	q	h	p	o

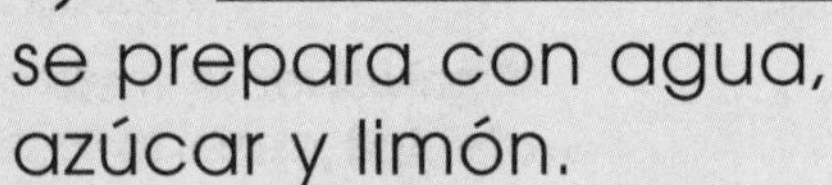

1) El sándwich es de

______________ y ______________ .

2) El jugo es de

______________ .

3) El pan tiene ______________

4) La ______________

la ______________ las ______________ ,

y las ______________ son frutas.

5) Me gusta tomar

______________ cuando tengo sed.

6) La ______________ se prepara con agua, azúcar y limón.

7) El ______________ de chocholate es sabroso.

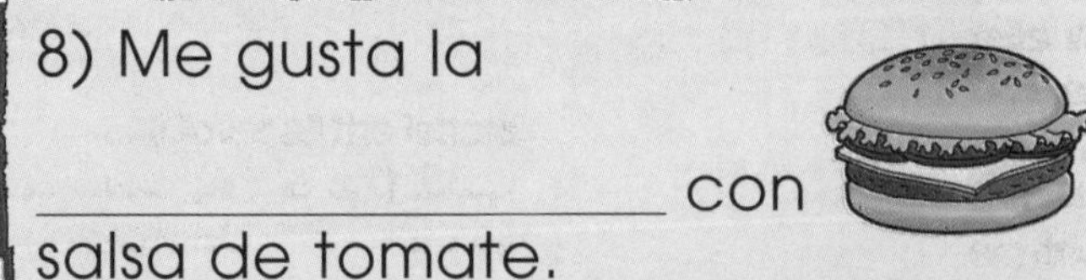

8) Me gusta la

______________ con salsa de tomate.

9) Yo compro

______________ en la pizzería.

10) Yo quiero un sándwich de

jamón , queso y ______________ .

Nombre ______________________________ Fecha ____________________

Une.

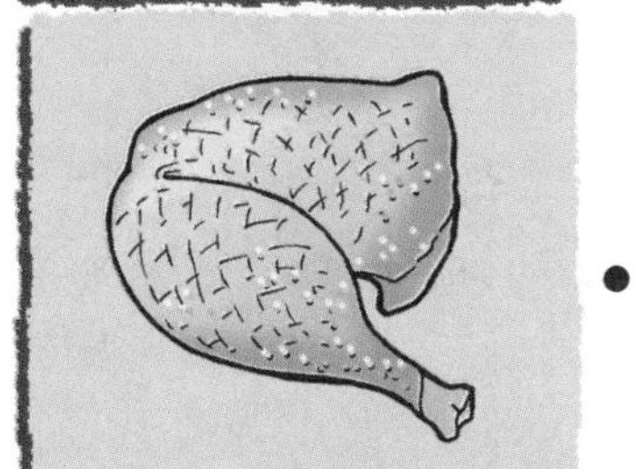

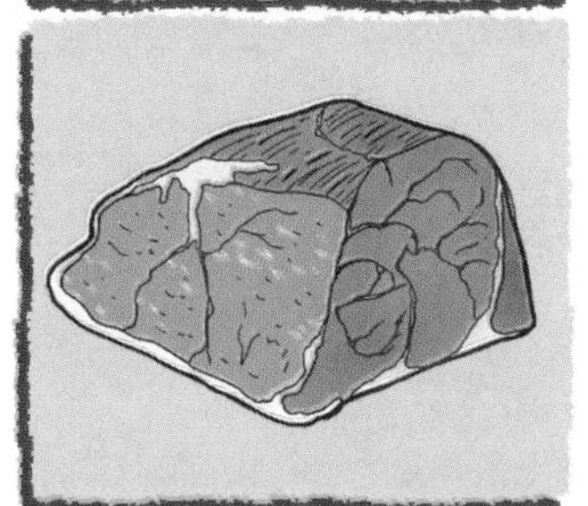

- papas
- tomate
- lechuga
- zanahoria
- carne de cerdo
- habichuelas verdes
- maíz
- carne
- pavo
- pescado
- pollo
- sopa

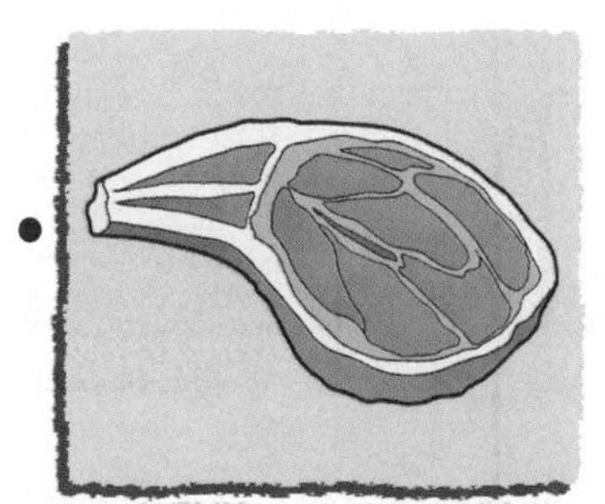

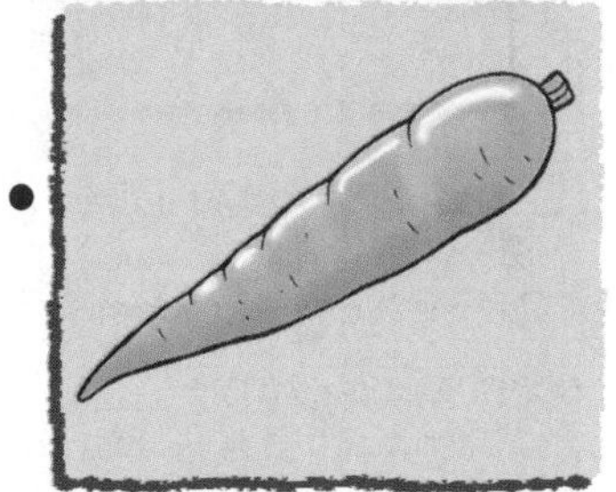

Nombre ______________________ Fecha ______________________

Observa y escribe.

1) el ______________ 2) la ______________ 3) la ______________ 4) el ______________

5) la ______________ 6) el ______________ 7) el ______________ 8) el ______________

9) el ______________ 10) el ______________ 11) la ______________ 12) la ______________

arroz	pasta	pastel de manzana	flan	pudín de pan
torta de zanahoria	arroz con leche	cereal		
sopa	torta de chocolate	pizza	pastel de fresa	

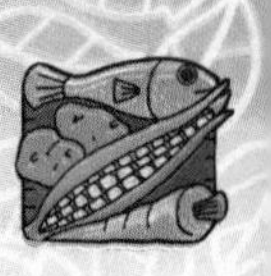

Nombre ______________________ Fecha ______________________

Clasifica.

Me gusta	Me gustan
1) ______________.	1) ______________.
2) ______________.	2) ______________.
3) ______________.	3) ______________.
4) ______________.	4) ______________.
5) ______________.	5) ______________.
6) ______________.	6) ______________.
7) ______________.	7) ______________.
8) ______________.	8) ______________.

vegetales	pescado	tomates	pan
jamón	huevos	zanahoria	habichuelas verdes
uvas	pizza	papas	maíz
banana	pastas	arroz	postres

Nombre ______________________________ Fecha ____________________

Lee y completa.

1) Ellos ____________________ a las siete y media.	cenamos cenan
2) Nosotros ____________________ arroz con pollo.	ceno cenamos
3) Yo ____________________ en el comedor.	ceno cenan
4) Ella ____________________ una comida sabrosa.	cenamos cena
5) Tú ____________________ pastas y vegetales.	cenas ceno
6) Él ____________________ con su primo en la cocina.	cenas cena
7) Nosotras ____________________ muy bien.	cocino cocinamos
8) Ellas ____________________ una torta de fresa.	cocinan cocinamos
9) Yo ____________________ el postre para la cena.	cocino cocinas
10) Tú ____________________ el pollo muy sabroso.	cocinamos cocinas
11) Ella ____________________ a las cinco y media.	cocina cocino
12) Ellos ____________________ carne de cerdo.	cocinan cocino

Nombre ______________________ Fecha ______________

Clasifica y escribe.

Carnes

1) ______________________

2) ______________________

3) ______________________

4) ______________________

Vegetales y frutas

1) ______________________

2) ______________________

3) ______________________

4) ______________________

Leche y derivados

1) ______________________

2) ______________________

3) ______________________

4) ______________________

Cereales y pastas

1) ______________________

2) ______________________

3) ______________________

4) ______________________

queso crema	carne de cerdo	pan	fresas
lechuga	arroz	pavo	cereal
pescado	pollo	yogur	banana
mantequilla	pizza	papas	leche

Nombre ______________________________ Fecha ____________________

Tacha los alimentos que no pertenecen.

1) Dulces

2) Derivados de la leche

3) Carnes

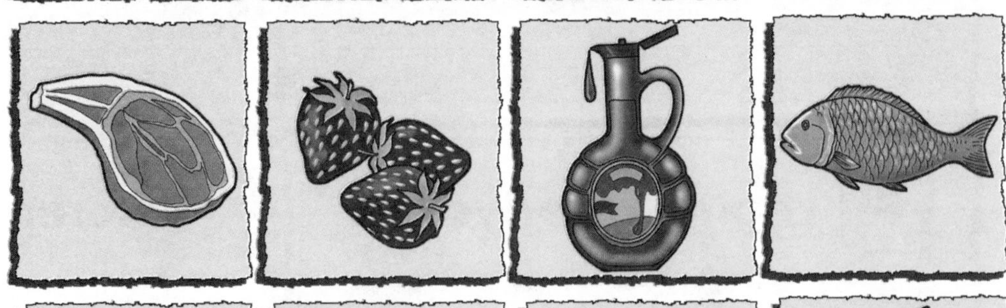

4) Vegetales

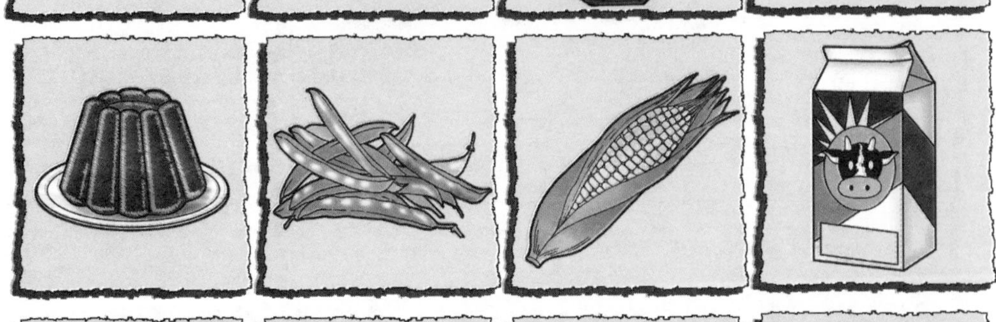

5) Frutas

6) Cereales y pastas

Nombre ____________________ Fecha ____________________

Observa y escribe.

Es la hora de cenar. Nosotros vamos a cenar al ____________________

a las ____________________ de la noche. Tenemos mucha hambre.

yo quiero ____________________, ____________________ y

____________________. Mi hermana prefiere ____________________,

____________________ y ____________________. Mi amiga Inés

no quiere cenar. Ella quiere ____________________ con

____________________. Mi primo Luis quiere una ____________________

con ____________________ y un ____________________ de

chocolate. Después de cenar todos estamos ____________________.

maíz pescado pollo siete y media contentos restaurante papas
hamburguesa batido queso arroz sirope zanahoria panqueques

Nombre ______________________ Fecha ______________________

Piensa y escribe.

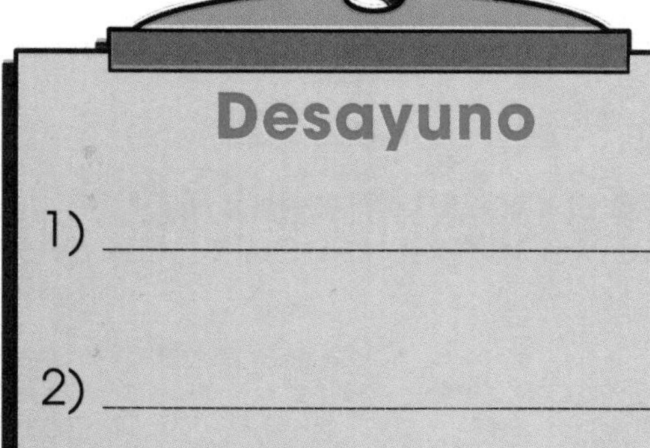

Desayuno

1) ______________________

2) ______________________

3) ______________________

4) ______________________

5) ______________________

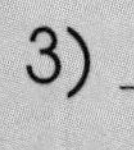

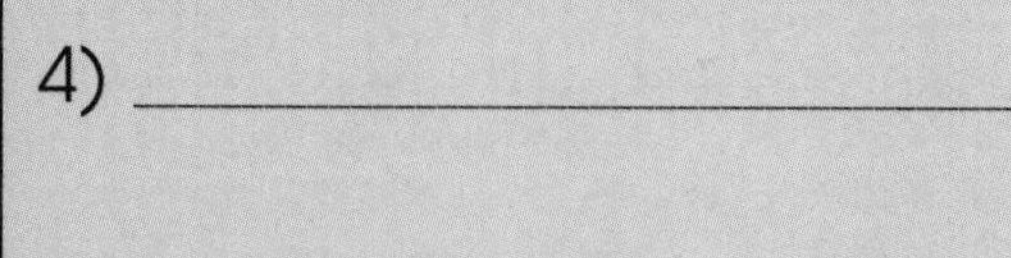

Almuerzo

1) ______________________

2) ______________________

3) ______________________

4) ______________________

5) ______________________

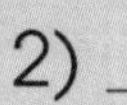

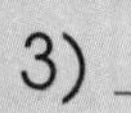

Cena

1) ______________________

2) ______________________

3) ______________________

4) ______________________

5) ______________________

Nombre ______________________ Fecha ______________________

Observa y escribe.

1) ______________________ 2) ______________________

3) ______________________ 4) ______________________ 5) ______________________

6) ______________________ 7) ______________________ 8) ______________________

tren	autobús	avión	carro
barco	bicicleta	bote	motocicleta

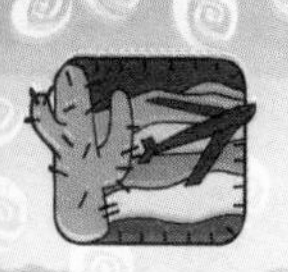

Nombre ________________________ Fecha ________________

Colorea, localiza y escribe.

Río Grande	Estados Unidos	Acapulco	desierto
montañas	México	Ciudad de México	Cancún

Nombre ______________________ Fecha ______________________

Observa, lee y marca.

- ❑ Es un pasaporte.
- ❑ Es una carta.
- ❑ Es un libro.

- ❑ Es una libreta.
- ❑ Es una maleta.
- ❑ Es una mochila.

- ❑ Es un mapa.
- ❑ Es un boleto.
- ❑ Es un pasaporte.

- ❑ Son unas frutas.
- ❑ Son unas ropas.
- ❑ Son unos vegetales.

Nombre ______________________________ Fecha ____________________

Observa, lee y marca.

- ❑ Es una blusa y un pantalón.
- ❑ Es un lápiz y unos creyones.
- ❑ Es un sombrero y unos espejuelos.

- ❑ Es una maleta.
- ❑ Es un televisor.
- ❑ Es una cámara de fotos.

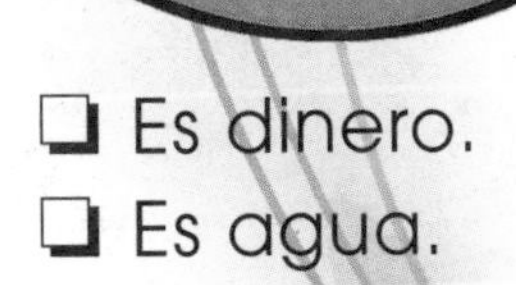

- ❑ Es dinero.
- ❑ Es agua.
- ❑ Es leche.

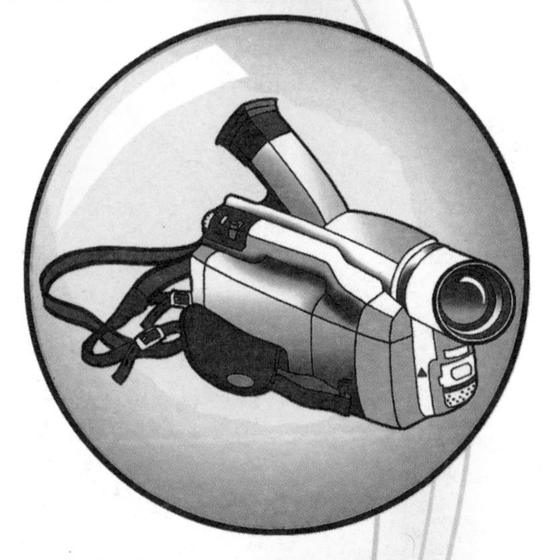

- ❑ Es una estufa.
- ❑ Es una cámara de vídeo.
- ❑ Es un refrigerador.

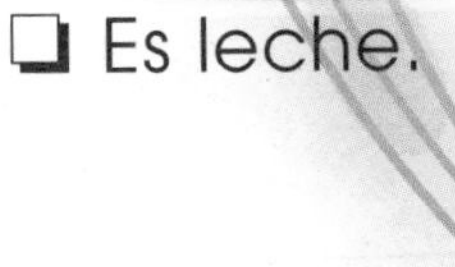

Nombre ______________________________ Fecha ____________________

Lee y completa.

1) Yo ______________ a jugar pelota.	voy vamos
2) Nosotros ______________ al supermercado.	va vamos
3) Ella ______________ a la escuela en bicicleta.	va voy
4) Ellos ______________ a jugar en la playa.	van vas
5) Tú ______________ al cine con tus primos.	vas vamos
6) Él ______________ de su casa por la mañana.	salgo sale
7) Yo ______________ al jardín a mirar las flores.	sale salgo
8) Ella ______________ de la escuela por la tarde.	sale salen
9) Nosotros ______________ de viaje en el verano.	sale salimos
10) Ellas ______________ a caminar con su tía.	salgo salen
11) Tú ______________ a cenar al restaurante.	salen sales
12) Él ______________ a pasear en autobús.	sale salgo

Nombre ______________________ Fecha ______________

Observa y escribe.

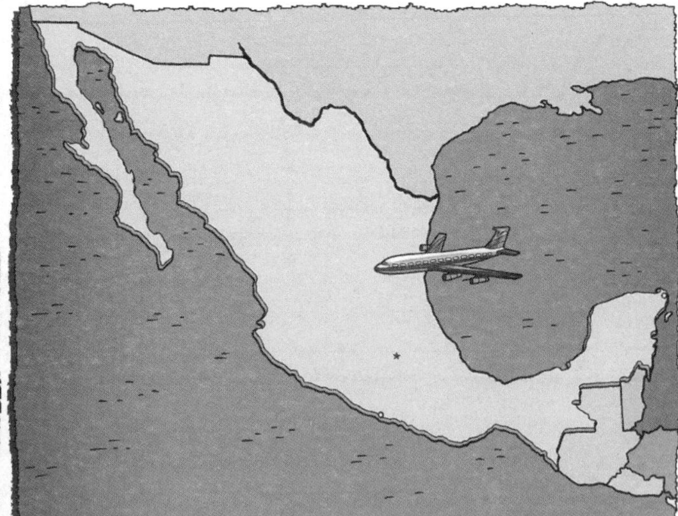

1) ¿En qué viajan los niños?

_______________________________________.

2) ¿Adónde llegan los niños?

_______________________________________.

3) ¿A quiénes visitan los niños?

_______________________________________.

4) ¿En qué país viven los abuelos?

_______________________________________.

Nombre ____________________ Fecha ____________________

Observa y escribe.

1) ¿Qué compra Lina?

____.

2) ¿Qué come Arturo?

____.

3) ¿Adónde llega la familia?

____.

4) ¿Qué visitan los niños?

____.

Nombre ______________________ Fecha ______________

Observa y completa.

guetes

blo

pla

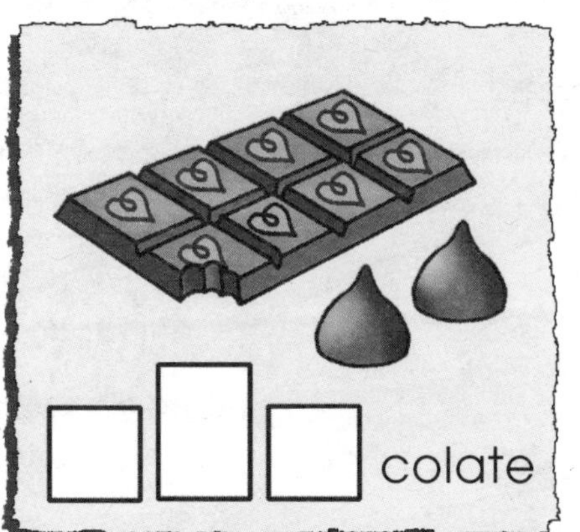

colate

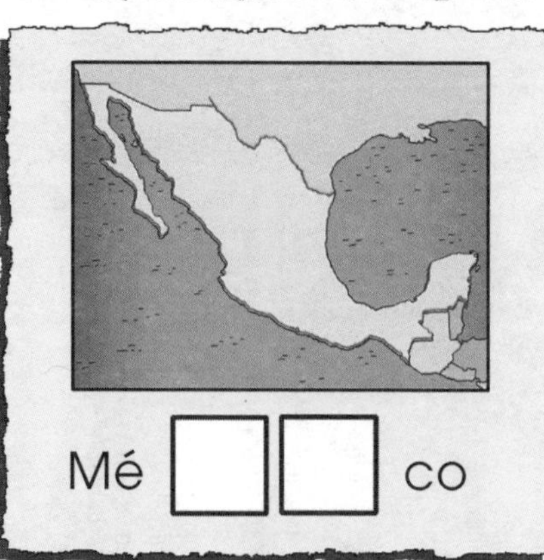

Mé co

mono

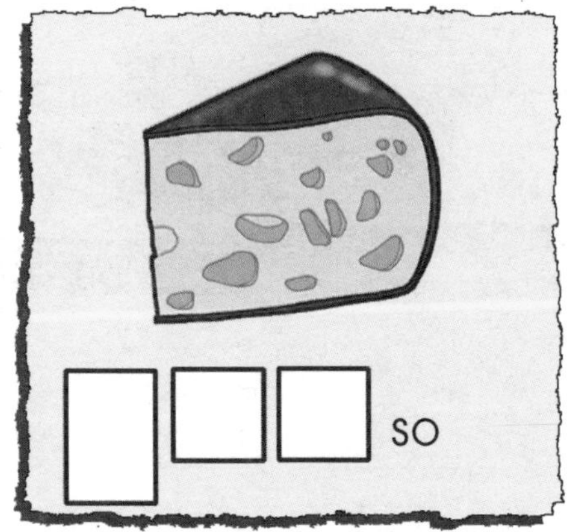

so

menea

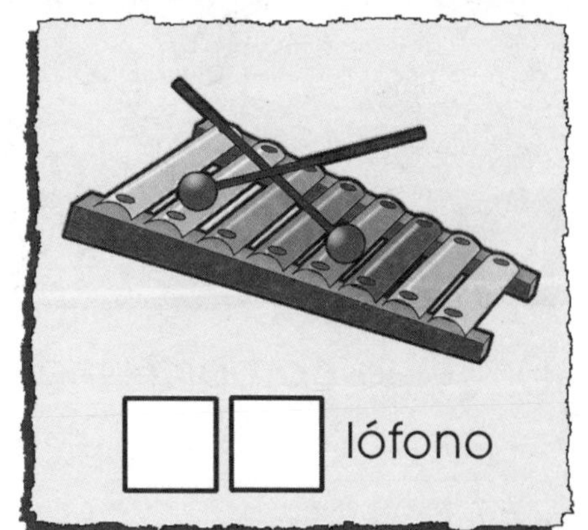

lófono

abe

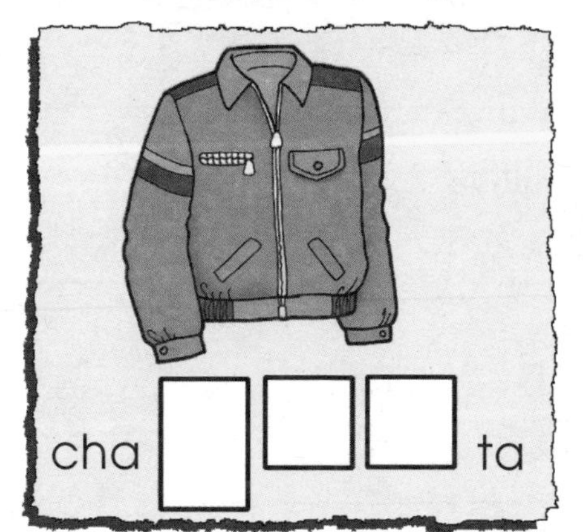

cha ta

yo

Nombre ______________________ Fecha ______________________

Observa, escribe y circula.

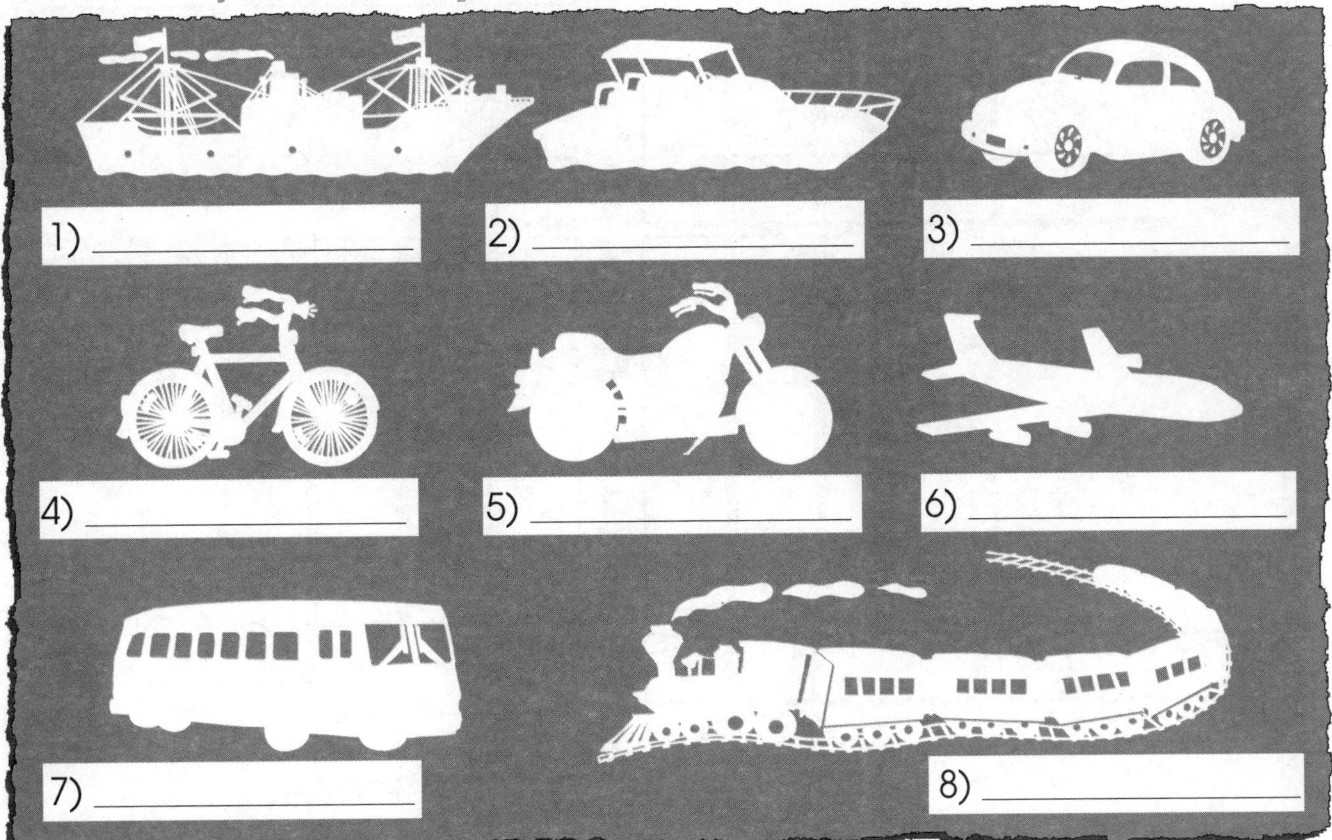

1) ____________ 2) ____________ 3) ____________

4) ____________ 5) ____________ 6) ____________

7) ____________ 8) ____________

Completa y pega tu foto.

Pasaporte	**Visas**
foto	
____________ Número	____________ Entrada
____________ Nombre	____________ Fecha
____________ Lugar de nacimiento	____________ Salida
____________ Fecha de nacimiento	____________ Fecha

Nombre ____________________ Fecha ____________________

Observa y completa.

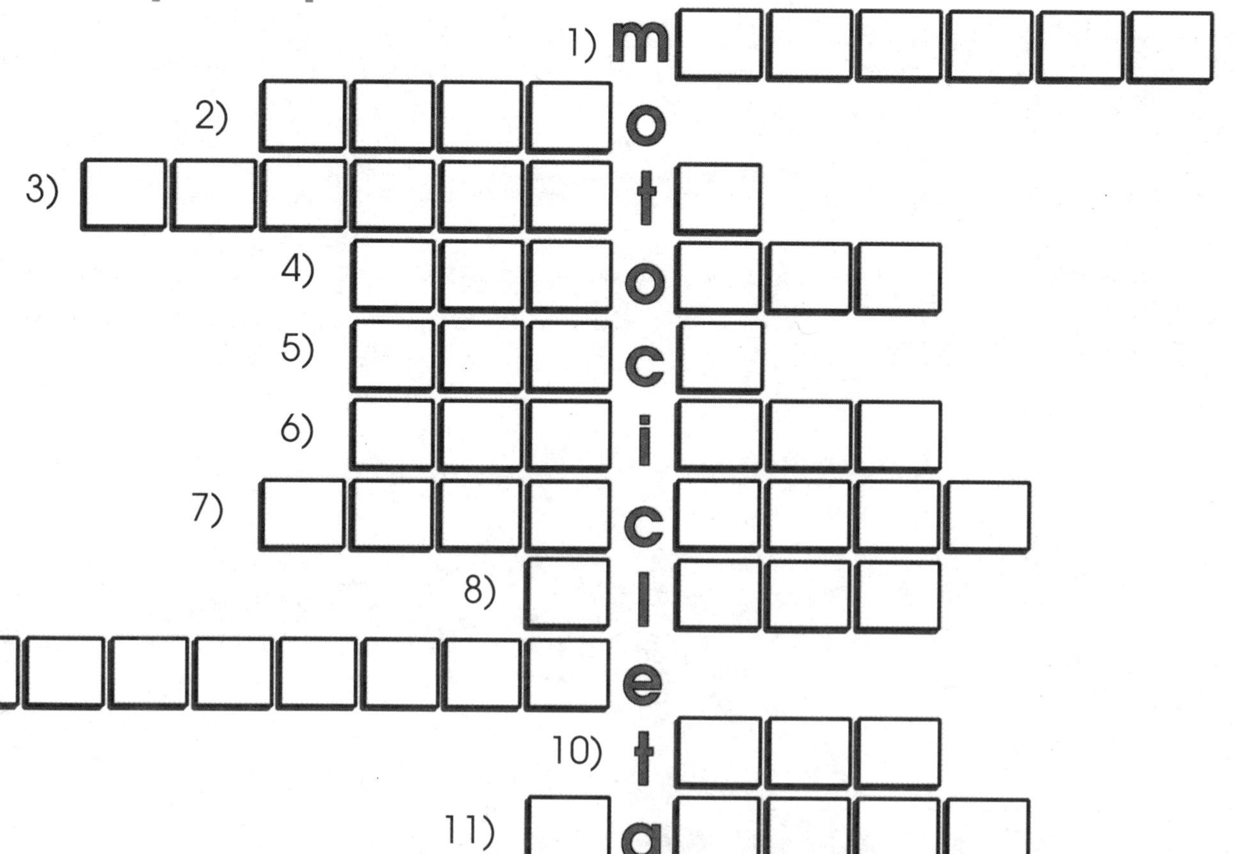

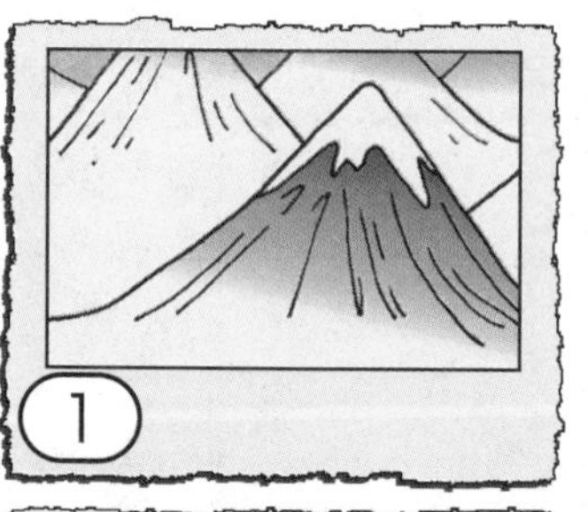